SPANISCHER JAKOBSWEG

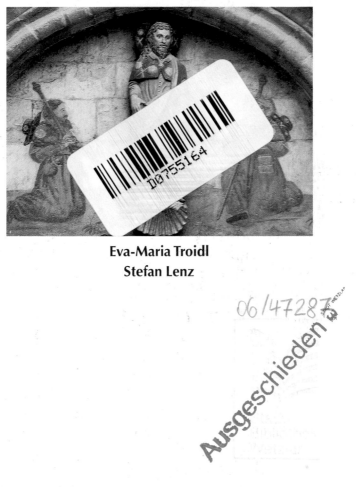

Eva-Maria Troidl

Stefan Lenz

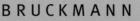

BRUCKMANN

DIE AUTOREN

Eva-Maria Troidl und Stefan Lenz, beide 1965 im Fränkischen geboren, studierten Biologie bzw. Physik. Seit vielen Jahren leben und arbeiten sie in München. Ihre Freizeit verbringen Sie am liebsten zu Fuß oder mit dem Fahrrad in der Natur. Im heiligen Jahr 2004 wurde der langgehegte Traum einer Pilgerfahrt nach Santiago de Compostela endlich Wirklichkeit.

Außerdem bei Bruckmann erschienen: der Wanderführer Traumpfad München-Venedig zur beliebten Alpenüberquerung.

Kontakt zu den Autoren unter www.derjakobsweg.de

Ein kostenloses Gesamtverzeichnis erhalten Sie beim
Bruckmann Verlag
D-81664 München

www.bruckmann.de

Lektorat: Martina Gorgas, München
Layout: Werner Kopp, Hebertshausen
Kartografie: Heidi Schmalfuß, München
Herstellung: Thomas Fischer

Alle Angaben dieses Werkes wurden von den Autoren sorgfältig recherchiert und auf den aktuellen Stand gebracht sowie vom Verlag geprüft. Für die Richtigkeit der Angaben kann jedoch keine Haftung übernommen werden. Für Hinweise und Anregungen sind wir jederzeit dankbar. Bitte richten Sie diese an:
Bruckmann Verlag
Lektorat
Innsbrucker Ring 15
D-81673 München
E-Mail: lektorat@bruckmann.de

Motiv der Umschlagvorderseite: Die Kirche von Molinaseca
Bildnachweis: Alle Fotos auf der Umschlagaußenseite und im Innenteil von den Autoren.

Die Deutsche Bibliothek – CIP-Einheitsaufnahme
Ein Titeldatensatz für diese Publikation ist bei der Deutschen Bibliothek erhältlich.

© 2005 Bruckmann Verlag GmbH, München

PIKTOGRAMME ERLEICHTERN DEN ÜBERBLICK:

Schwierigkeitsgrad:

○ leicht

◑ mittel

● anspruchsvoll

Weglänge

Gehzeit

Zeichenerklärung zu den Tourenkarten

Autobahn	Kirche/ Kloster
Bundesstraße	Burg/ Schloss/ Ruine
Hauptstraße	Turm
Normale Straße	Leuchtturm
Nebenstraße	Schutzhütte
Weg	Jugendherberge
Bahnlinie mit Bahnhof	Campingplatz
Wandertour	Übernachtungsmögl.
Tourenvariante	Einkehrmöglichkeit
Fernwanderweg	Rastplatz
Ausgangs-/ Endpunkt der Tour	Höhle/ Grotte
Richtungspfeil	Bademöglichkeit
Stufen	Therme
Gipfel	Mühle
Pass	Windmühle
Tunnel	Museum
Quelle	Prähist. Fundstelle
Wasserfall	Denkmal
Seilbahn	Bildstock
Parkmöglichkeit	Markanter Baum
Bushaltestelle	Landschaftl. Höhepunkt
Bahnhof	Sehenswert
Hafen	Sehenswerter Ort (Pamplona)
Flugplatz	Aussichtsstelle
Information	Weinanbau
Krankenhaus	Moorgebiet
Feuerwehr	Waldgebiet
Maßstabsleiste (1:100 000) 0 N 1km	Naturschutzgebiet (NSG)
	Landesgrenze
	Randhinweispfeil

Inhalt

Auf dem Pilgerweg nach Fisterra

Üppige Vegetation in Galizien: Riesenginster

Die goldene Muschel auf dem Pflaster weist uns den Weg.

Der Pilgerweg nach Santiago de Compostela

Fernpilgerschaften zu heiligen Orten finden sich in den Traditionen aller großen Weltreligionen. So wie die Muslime nach Mekka pilgern und die Sikhs zum goldenen Tempel nach Amritsar, kannte auch das Christentum seit seinen frühesten Anfängen Pilgerziele, die spirituelle Erfüllung versprachen. Neben Rom und Jerusalem konnte sich vor allem Santiago de Compostela, die Begräbnisstätte des Apostel Jakobus, als das mittelalterliche Fernpilgerziel schlechthin etablieren. Ein Netz von Jakobswegen durchzog Europa, Klöster und Hospize sicherten Unterkunft und Verpflegung, die Ritterorden sorgten für Schutz auf der gefährlichen Reise.

Der Camino Francés

Für Pilger aus dem nördlichen Europa war der Camino Francés, dem wir uns hier widmen wollen, mit Abstand die wichtigste Reiseroute. Die meisten von ihnen überquerten die Pyrenäen zwischen Saint-Jean-Pied-de-Port und Roncesvalles am Cisa-Pass auf dem Navarrischen Weg. Reisende aus dem südlichen Frankreich und Italien nahmen dagegen den Aragonischen Weg über den Somport-Pass. Beide Zugangswege treffen sich heute wie einst kurz vor Puente la Reina in Navarra. Von dort führt der Weg weiter in Richtung Westen durch die Rioja und das Hochland von Nordkastilien mit den bedeutenden Städten Burgos und León bis nach Galicien ans äußerste westliche Ende Spaniens und Europas. Das traditionelle Pilgerziel ist die Kathedrale von Santiago im galicischen Unterland, aber schon immer zogen viele danach noch weiter nach Westen, um am Ende der Welt (»finis terrae«) symbolisch die Wiedergeburt in ein neues Leben nach überstandener Pilgerfahrt zu vollziehen.

Das Apostelgrab

Wie kam es, dass sich das fernab gelegene Santiago schon im frühen Mittelalter zum bedeutendsten Fernpilgerziel Europas entwickeln konnte? Und wie kamen die Gebeine des Apostels dorthin? Biblisch bezeugt ist in der Apostelgeschichte nur der Tod des Jakobus in Palästina durch das Schwert (Ap. 12,2). Der Legende zufolge hatte der Heilige zuvor in Spanien missioniert und war nach seinem Tod durch spanische Getreue zurückgebracht und an der Stelle bestattet worden, wo heute die Kathedrale von Santiago steht. Eine andere Legende berichtet sogar vom Transport durch ein von Engeln getragenes Schiff. Im frühen 9. Jh. beobachtete ein Einsiedler an eben dieser Stelle Lichterscheinungen und andere wundersame Zeichen. Ein Marmorbogen wies auf ein Grab hin. Der Bischof Theodemir von Iria Flavia ließ das Grab daraufhin öffnen und identifizierte es als die letzte Ruhestätte des Apostels. Eine Kapelle wurde über dem Grab errichtet, und die Verehrung des Heiligen an dieser Stelle nahm ihren Anfang.

Viel von der Bedeutung dieser Legende erschließt sich, wenn man den historischen Hintergrund kennt, vor dem diese Ereignisse stattfanden. Spanien war damals ein islamisch regiertes Land, lediglich der Nordwesten des Landes und die Pyrenäenregion an der Grenze zum Fränkischen Reich waren im 9. Jh. noch in christlicher Hand. Eine islamische Herrschaft über ganz Spanien und sogar noch darüber hinaus war im Bereich des Möglichen. Auch von anderer Seite drohte Gefahr: Zwar war die alte römische Provinz Hispanien früh christianisiert worden, doch im wilden Nordwesten des Landes waren heidnische Kulte unter der Fassade des Christentums noch sehr lebendig. Für die Pilgerfahrt nach Finisterre vermutet man keltische Wurzeln, auch an anderen Stellen des Pilgerwegs finden sich vorchristliche Heiligtümer. Musste da nicht im vom restlichen christlichen Abendland beinahe abgeschnittenen Galicien und Asturien ein Rückfall in einen heidnischen Volksglauben befürchtet werden?

Der Bischof in Iria Flavia mag also so manche Nacht um ein Wunder gebetet haben, wie es die Entdeckung des Apostelgrabs schließlich darstellte. Wie stark die Wirkung dieses Wunders auf die Menschen tatsächlich sein würde, konnte Theodemir, der kurz nach diesen Ereignissen starb, allerdings nicht vorhersehen. Die Verehrung des Heiligen sollte die christliche Identität der Spanier und ihren Widerstandswillen gegen die Mauren festigen. Bereits im 10. Jh. sind Fernpilger nach Santiago überliefert, und es häufen sich die Legenden, dass der Heilige als »matamoros« (Maurentöter) in Rüstung und zu Pferd erschien, um in ausweglosen Lagen zu helfen. Man kann daher mit einigem Recht behaupten, dass die Entdeckung des Grabes die europäische Geschichte in zweifacher Hinsicht stark beeinflusst hat: Zum einen war sie der Ausgangspunkt der »Reconquista«, der Rückeroberung Spaniens, zum anderen wurde mit ihr die christliche Fernpilgerschaft zu einem Massenphänomen, was wesentlich dafür verantwortlich war, dass sich eine einheitliche christliche Identität in ganz Europa entwickeln konnte.

Santa Catalina de Somoza in der Provinz León

Natürlich gab es zu allen Zeiten Zweifel an der Echtheit der Gebeine, aber letztlich spielen bei einer Glaubenswahrheit historische beweisbare Fakten keine Rolle. Entscheidend ist alleine ihre Wirkung auf die Menschen, und diese wird man, wenn man mit offenen Augen und Ohren nach Santiago de Compostela pilgert, selber erleben und mit sich ausmachen dürfen.

Der Wegverlauf

Der Camino Francés entstand im 11. Jh. Die Pilgerzahlen waren stark angewachsen, die Mauren weiter nach Süden zurückgedrängt und die Wege im Landesinneren wieder sicherer geworden. Die heutige Routenführung entspricht immer noch weitgehend diesem historischen Verlauf. Auf mehr als 800 km, von den Pyrenäen bis zum Atlantik, erfährt der Wanderer vier landschaftlich und kulturell sehr unterschiedliche Regionen.

Pyrenäen: Navarra und Aragón

Die Pyrenäen mit ihren über 3000 m hohen Gipfeln trennen die Iberische Halbinsel vom restlichen Europa. Diese unwirtliche Bergregion war bei den mittelalterlichen Pilgern sehr gefürchtet. Die Ursprünglichkeit des Hochgebirges kann man auch heute

Der Heilige als Krieger, Fassadendetail des Parador in León

noch auf dem Aragonischen Weg erahnen. Die weitere Route durch das westliche Aragón ist immer noch der einsamste Abschnitt des gesamten Camino. Das Hochland von Navarra hat auf dem Navarrischen Zugangsweg dagegen eher Mittelgebirgscharakter. Die Berge erreichen keine 1500 m mehr und verlieren sich Richtung Pamplona in ein sanftes und fruchtbares Hügelland. Die Geschichte dieser Region ist wechselvoll. Zeitweise war sie ein eigenständiges Königreich, dann wieder aufgeteilt zwischen Kastilien und Aragonien oder auch französische Provinz. Seit 1515 gehörte sie zwar zum spanischen Königreich, wurde allerdings mit Sonderrechten ausgestattet, den »fueros«, die eine gewisse Autonomie sicherten. Norden und Westen von Navarra sind baskisch geprägt, und die Diskussion über stärkere Selbstständigkeit gehört nach wie vor zu den aktuellen politischen Themen.

Weinland: Die Rioja

Die Rioja war historisch seit dem 11. Jh. ein Teil Kastiliens und wurde erst im Zuge der Regionalisierung Spaniens in den frühen *Verfallenes* 80er Jahren als eigenständige »Comunidad Autónoma« etabliert. *Haus in den* Weit über Spanien hinaus ist sie vor allem für ihre hervorragen- *Montes de* den Weine bekannt. Auf dem Camino durchqueren wir die *León*

Weinanbaugebiete des hügeligen Nordens. Die einzige größere Stadt ist Logroño, die Hauptstadt der Region.

Landschaft hinter Logroño in der Rioja

Die spanischen Kernlande: Kastilien und León

Kastilien, das lange Zeit zwischen Mauren und Christen umkämpfte »Land der Kastelle«, dominierte seit dem Mittelalter das restliche Spanien politisch wie kulturell. Das dort gesprochene Spanisch, Castellano genannt, wurde zur modernen Landessprache und das in seinem Zentrum gelegene Madrid zur Hauptstadt. Über weite Strecken des Wegs, von den Ausläufern der Sierra de la Demanda im Osten bis zu den Montes de León im Westen, durchqueren wir die kastilische Hochebene mit ihren flachen Mesetas und tief eingeschnittenen Flusstälern. Das Klima ist rau: im Winter bitterkalt, im Sommer glühend heiß, und nichts stellt sich dem Wind in den Weg. Ist genug Wasser vorhanden, reichen endlose Getreidefelder bis zum Horizont, ist es dagegen knapp, erleben wir eine Steppenlandschaft. Zwei Großstädte, Burgos und León, liegen am Weg, und beide sind reich an Kunstschätzen und beeindruckenden Bauwerken. Hinter den Montes de León, deren Passhöhe sich fast auf 1500 m befindet, durchqueren wir das reiche Becken des Bierzo und erreichen die letzte große Gebirgskette auf unserem Weg, die Cordillera Cantábrica.

Bei den Kelten: Galicien

In O Cebreiro, dem ersten Ort in Galicien, haben wir in vielerlei Hinsicht eine Grenze überschritten. Das Klima wird nun vom nahen Atlantik bestimmt, von dem uns jetzt kein Gebirge mehr trennt. Galicien ist das regenreichste Gebiet Spaniens, was man wohl mitunter zu spüren bekommen wird. Das Oberland würde mit seinen grünen Weiden an die bayrischen Voralpen erinnern, wären da nicht die Palmen vor den Häusern. Weiter westlich werden die Hügel dann flacher und die Täler breiter, bis man schließlich die steile Felsenküste mit ihren Fjorden (Rías) erreicht. Als Umgangssprache hört man in der Regel Galego, eine Sprache, die eher mit dem Portugiesischen als mit dem kastilischen Spanisch verwandt ist und die – wie das Baskische und Katalanische – den Status einer zweiten Amtssprache hat. Sie ist Element einer galicischen Kultur, deren Eigenständigkeit sehr selbstbewusst betont wird.

Canal de Castillia, Schleusen- anlage bei Frómista

Praktische Informationen und Tipps

Das Dörfchen San Xil in Galicien

Auf den folgenden Seiten wollen wir die wichtigsten praktischen Fragen der angehenden Pilger klären und damit allen Mut machen, die sich für diesen herrlichen Weg interessieren. Dieses Buch will dem Pilger in erster Linie helfen, die Alltagsprobleme der Reise zu bewältigen. Es versteht sich als Wanderführer, eine vollständige Beschreibung von Kunst und Kultur, Geschichte und Geschichten entlang des Weges ist in diesem Rahmen nicht möglich. Selbstverständlich werden aber die wichtigsten Sehenswürdigkeiten und Stationen aufgeführt. Entlang des gesamten Camino Francés von den Pyrenäen bis nach Finisterre gibt es mittlerweile eine gut ausgebaute Infrastruktur für Pilger und Wanderer. Herbergen geben Unterkunft, auch in kleinen Orten bieten Bars einfache Mahlzeiten an, und die Wege sind ausgezeichnet markiert und befestigt. Die Zeiten, in denen eine gehörige Portion Abenteurertum zur Bewältigung der Pilgerfahrt erforderlich war, gehören der Vergangenheit an. Jeder gesunde und an regelmäßige Bewegung gewöhnte Mensch kann deshalb heutzutage den Camino »schaffen«. Trotzdem sollte man sich unterwegs auf einige Entbehrungen und Einschränkungen einstellen: Der Norden Spaniens ist eine touristisch wenig erschlossene, dünn besiedelte Region mit einem rauen Klima.

Verlaufen unmöglich: Wegsteine am Camino

Markierung, Wegbeschaffenheit und körperliche Voraussetzung
Unsere Wanderroute ist von den Pyrenäen bis zur Küste durchgehend mit dem Muschelsymbol markiert. Je nach Region werden unterschiedliche Wegzeichen verwendet, entweder eine gelbe Muschel auf blauem Grund, manchmal auch ein goldenes Symbol oder in den Städten ein Relief im Straßenpflaster. In kleinen Orten oder an Weggabelungen im Gelände werden diese Markierungen meist durch gelbe Pfeile ergänzt. Der Weg ist durch die gute Markierung nahezu überall einfach zu finden, auf schwierigere Stellen weisen wir im Text hin. Auch auf die Hilfsbereitschaft der Einheimischen kann man sich verlassen. Ein Pilger auf Abwegen wird fast immer sofort auf seinen Irrtum hingewiesen und auf den richtigen Pfad zurückgebracht.
Die Wegbeschaffenheit entlang der Strecke ist sehr unterschiedlich. Meist läuft man über kleine, verkehrsarme Teerstraßen, auf Pisten oder Feldwegen. Sehr oft finden wir wunderschöne Wanderwege vor, aber gelegentlich bleibt uns auch ein Marsch entlang vielbefahrener Hauptstraßen nicht erspart. Die bergigen Etappen entsprechen Mittelgebirgswanderungen bei uns, alpine Schwierigkeiten sind nirgends zu bewältigen. Felsige Wegstellen, die bei schlechtem Wetter auch glatt sein können, kommen jedoch vor, ebenso wie Aufstiege von einigen hundert Höhenmetern und steile Abstiege. Eine gewisse Trittsicherheit ist also nötig.

Der angehende Pilger muss also kein Bergsteiger oder Leistungssportler sein, aber 20 km pro Tag mit etwa 10 kg Gepäck sollte er schon zurücklegen können, da diese Etappenlänge an einigen Stellen durch die Übernachtungsmöglichkeiten vorgegeben ist. Die Herausforderung beim Wandern auf dem Jakobsweg besteht vor allem in der Dauerbelastung für Gelenke, Sehnen und Bänder. Zur Vorbereitung eignet sich zum Beispiel eine Wanderwoche mit entsprechendem Gepäck und Etappen von 20 bis 30 km. So kann man seine Leistungsgrenze finden und erforschen, wie der Körper auf die Belastung reagiert.

Klima und Reisezeit

Der Norden Spaniens ist ein Land der klimatischen Gegensätze. Das kontinentale Klima in Kastilien sorgt für heiße Sommer und bitterkalte Winter. Nachtfrost gibt es durchaus auch noch im Mai, und ergiebige Regenfälle im Frühsommer und Herbst sind keine Seltenheit. Wenn man in den Pyrenäen und insbesondere am Somport-Pass starten möchte, sollte man auf alle Fälle bis Mitte April warten, denn vorher sind die Wege dort verschneit. Im Herbst findet man gute Bedingungen bis Oktober vor, danach verleiden zunehmend Niederschläge die Pilgerschaft. Wegen der Sommerhitze und der Überfüllung der Pilgerherbergen ist es sinnvoll, die Sommermonate Juli und August zu vermeiden.

Übernachtung: Pilgerherbergen und der Pilgerausweis

In der Regel wird man auf dem Camino in Pilgerherbergen übernachten. Die Albergues sind einfache Unterkünfte, meistens mit Stockbetten in mehr oder weniger großen Schlafsälen. Ausstattung und Komfort sind aber recht uneinheitlich. Einige von ihnen bieten bequeme Betten an, andere sind reine Notunterkünfte mit Matratzen auf dem Boden. Häufig gibt es eine Küche und sehr oft einen mehr oder weniger großen und schönen Aufenthaltsraum. Immer öfter findet man Waschmaschinen und Trockner vor. Warme Duschen gehören mittlerweile zum Standard, allerdings ist die Sanitärausstattung oft mangels Platz und Geld sehr einfach. In der Regel wird erwartet, dass man die Albergue morgens zwischen 8 und 9 Uhr verlässt. Ab Mittag nehmen die Herbergen dann wieder Pilger auf, wobei die Öffnungszeiten im Einzelnen etwa zwischen 12 und 17 Uhr schwanken können. Reservierungen oder mehrtägige Aufenthalte sind in der Regel nicht möglich, nur wer ein ärztliches Attest vorweisen kann, darf eine zweite Nacht bleiben. Vor allem in den Großstädten schließen die Albergues häufig sehr früh, teilweise schon um 21:30 Uhr. Wer zu spät kommt, kann hier ein echtes Problem bekommen. Auch sonst wird die Nachtruhe immer streng eingehalten, um bereits schlafende Mitpilger nicht zu stören.

Voraussetzung für die Übernachtung in der Herberge ist der Pilgerausweis (Credencial de peregrino). Man kann sich dieses unentbehrliche Papier bereits zu Hause besorgen, zum Beispiel über die Jakobusvereine (siehe: »Wichtige Adressen und Telefonnummern«). Das Dokument enthält Stempelfelder, mit deren Hilfe man die Fußpilgerschaft nachweist. Ein lückenlos abgestempeltes Credencial ist Voraussetzung für die Erstellung der Compostela, also des Zertifikats der erfolgten Pilgerschaft, in Santiago. Aber auch die Herbergen überprüfen häufig die Stempel, um zu verhindern, dass Autotouristen die Schlafplätze belegen. Generell bekommen Fußpilger als erste ihre Betten zugewiesen, Radfahrer hingegen werden oft erst nach einer festen Zeit (etwa 18 Uhr) aufgenommen. Wer motorisiert unterwegs ist, wird abgewiesen.

Die Betreuung der Pilgerherbergen erfolgt durch unterschiedliche Träger. Viele werden von Städten und Gemeinden, von Jakobusvereinen oder von kirchlichen Institutionen unterhalten. Geführt werden diese Albergues dann meist von freiwilligen Hospitaleros, die ohne Bezahlung einen Teil ihrer Freizeit oder ihres Urlaubs opfern, um die Tradition der Pilgerschaft zu fördern. Daneben sind in neuerer Zeit viele private Herbergen entstanden, die den oft bescheidenen Lebensunterhalt ihrer Besitzer sichern. Grundsätzlich gelten in diesen aber die gleichen Regeln wie in den »offiziellen« Herbergen.

Früher war die Übernachtung in den Herbergen gratis, lediglich ein »donativo«, also eine Spende, wurde erwartet. Diese System ist aufgrund des – man muss es leider so deutlich sagen – Geizes vieler Mitpilger in den letzten Jahren fast überall verschwunden, stattdessen wird ein fester Preis zwischen 3 € und 10 € verlangt. Der Preis scheint oft willkürlich festgelegt zu sein, eine gute Herberge ist also nicht unbedingt teurer als eine einfache. Die Privatherbergen liegen, da nicht durch öffentliche Gelder gefördert, meist eher im oberen Preisbereich.

Im Zusammenhang mit den privaten Herbergen wird zunehmend und manchmal auch zurecht die steigende Kommerzialisierung des Camino beklagt. Dabei sollte man aber bedenken, dass der Jakobsweg viele sehr strukturschwache Gebiete berührt, die sich wegen der fehlenden Arbeitsplätze durch hohe Abwanderungsraten auszeichnen. Hier kann eine private Herberge, durch die auch eine lokale Bar oder der Lebensmittelhändler unterstützt werden, schon viel bewirken. Außerdem liegt es in letzter Konsequenz schließlich an uns Pilgern selbst, in welche Richtung sich der Camino entwickeln wird: Kommerz oder Kontemplation?

Alternative Übernachtungsmöglichkeiten

Neben den Herbergen gibt es in vielen Orten Hotels, Pensionen und Privatquartiere. Die Zimmerpreise bewegen sich bei etwa 30–40 € für ein Doppelzimmer in einem 1-Sterne-Hotel, Häuser mit 2 Sternen kosten ungefähr 50–60 €. In den großen Städten sind die Preise natürlich oft etwas höher. Frühstück wird meist extra und in größeren Hotels für das Gebotene gerne zu teuer be-

In der Herberge von Maribel in Cizur Menor

rechnet. »Hostal« oder »hospedaje« nennen sich einfache Pensionen mit einem Doppelzimmerpreis von 20–40 €. In der gleichen Preiskategorie bekommt man gelegentlich Privatquartiere (Schild »habitaciones« oder »camas« oder auch blaues Schild mit Aufschrift »CH«). Daneben findet man in touristisch attraktiven Gegenden Landgasthöfe mit der Bezeichnung »casa rural«, die meist einen relativ hohen Standard mit einem ebensolchen Preis verbinden. Insgesamt ist die Sterneneinteilung bei Hotels und Hostals nicht so verlässlich wie bei uns, auch auf die Bezeichnungen sollte man nicht zu viel geben. Meist wird man jedoch mit privat geführten Pensionen und Hospedajes gute Erfahrungen machen. Man bekommt keinen großen Luxus, aber die Zimmer sind ordentlich und sauber, der Preis ist akzeptabel, und man genießt mehr Freiheit und Ruhe als in den Herbergen. Auf Pilger eingestellte Häuser waschen oft auch unsere Schmutzwäsche. Bei der Quartiersuche in kleinen Orten wendet man sich am einfachsten an den Hospitalero der Herberge oder an den Barbesitzer.

Einkauf, Einkehr und Verpflegung

Stärkung auf dem Weg: Bar in San Nicolás

Wo bekomme ich unterwegs etwas zu Essen? Neben der Suche nach dem Nachtlager ist das die wichtigste Frage. Da wir viele einsame Gegenden durchstreifen, ist etwas Planung vorab durchaus sinnvoll. Die Geschäfte in Spanien sind vormittags etwa von

9–13 Uhr, nachmittags meist von 16 oder 17–20 Uhr geöffnet. In der langen Mittagspause (Siesta) ist alles geschlossen, außer vielleicht in den Großstädten. Diesem Rhythmus folgt das ganze Land inklusive der Touristeninformationen, Museen, Banken und Behörden. Nur an einer Stelle herrscht während der Siesta Hochbetrieb, nämlich in den Bars. Man kann dort einen Kaffee, ein Glas Bier oder eine Flasche Wasser bestellen, einen Imbiss nehmen und sich ausruhen. Zum Essen gibt es belegte Brote (bocadillos), mittags ab etwa 13:30 Uhr einfache Mahlzeiten (platos combinados) und am Abend auch gelegentlich ein Menü (menú del día). Das Speisenangebot variiert stark, in manchen Bars isst man sehr ordentlich und hat eine große Auswahl, in anderen muss man zufrieden sein, wenn man überhaupt irgendetwas zu essen bekommt. Speisekarten sind eher selten, in der Regel fragt man am Tresen und bestellt auch dort, nur zu den Hauptessenszeiten gibt es manchmal eine Bedienung. Oft werden auch Tapas und Raciones angeboten. Eine »tapa«ist ein Häppchen, zum Beispiel ein paar Scheibchen Schinken. Die »ración« ist grundsätzlich das gleiche, nur erhält man eine ganze Portion, was sich für eine Zwischenmahlzeit am Nachmittag oder frühen Abend sehr empfiehlt, weil es bis zum Abendessen oft spät werden kann. Ist die Gastronomie auf Pilger eingestellt, wird fast immer ein entsprechendes Menü (menú del peregrino) bereits ab etwa 20 Uhr angeboten. Für 6–10 € bekommt man drei Gänge, Brot und Wein sind inklusive. Man sollte sich dabei allerdings auf ein bis zwei Gläser Wein beschränken, alles andere ist unangemessen und wird nicht gerne gesehen. Die offizielle Abendessenszeit in den Restaurants beginnt erst um etwa 21:30 Uhr, an Wochenenden zum Teil auch deutlich später. Für drei Gänge á la carte sind mindestens 20 € anzusetzen, günstiger ist nur ein Menü zu haben. Wegen der Preise und der für Pilger unpraktischen Essenszeit wird deswegen der Besuch im Restaurant auch eher die Ausnahme bleiben.

Und was erwartet uns kulinarisch? Zu den Spezialitäten der nordspanischen Küche gehören Wurstwaren, Fleischgerichte und in Galicien Meeresfrüchte. Vegetarier tun sich da etwas schwer. Wer sich hauptsächlich von den Pilgermenüs ernährt, wird das Essen bald etwas eintönig finden, denn der niedrige Preis lässt nicht viel Spielraum für Abwechslung. Die Vorspeise ist meistens ein Salat (ensalada), eine Suppe (sopa) oder Nudeln (pasta). Das Hauptgericht besteht aus Fleisch und/oder Spiegeleiern (huevos fritos) mit Pommes frites. Als Dessert wird meist Jogurt oder Pudding serviert, mit etwas Glück auch frisches Obst (fruta). Je nach Region gibt es ausgezeichnete Käse (queso), Wurst (embutido) oder Schinken (jamón), die man sich als Tapa, Ración oder auf einem belegten Brot (bocadillo) schmecken lassen kann. Beliebter Imbiss ist auch die Tortilla, entweder mit Kartoffeln (con patatas) oder einfach nur aus Eiern (francesa), was unserem Omelette entspricht. Wer in der Bar etwas trinken will, bestellt ein Glas Rot- oder Weißwein (una copa de vino tinto/blanco), ein Bier (cerveza) oder ein Radler (clara). Wasser erhält man sehr preisgünstig in Plastikflaschen (una botella de agua) zum Mitnehmen oder gleich trinken. Wer in Spanien einen »café« bestellt, bekommt einen Espresso serviert. Ein »café con leche« ist ein Milchkaffee. Wenn man ihn dann noch »grande« verlangt, hat man schon den Hauptbestandteil des spanischen Frühstücks vor sich stehen, denn wie in anderen südlichen Ländern wird hier morgens sparsam gegessen. Toastbrot mit Marmelade (pan tostado con mermelada) oder süßes Gebäck (bollería), fast immer aus dem Plastiktütchen, sind der Normalfall. Wer selbstgebackenen Biskuit (bizcochos) oder Kuchen (pasteles) bekommt, kann sich glücklich schätzen.

Selbstversorger werden in den Supermärkten (supermercado) und Selbstbedienungsläden (autoservicio) das übliche europäische Standardangebot an Grundnahrungsmitteln finden. Bäckereien (panadería) haben oft auch sonntags geöffnet. In kleinen Orten kann man manchmal auch Lebensmittel in der Bar kaufen.

Sprache und Verständigung

Da Nordspanien keinen Massentourismus kennt, sind Fremdsprachenkenntnisse nicht weit verbreitet. Deutsch wird nirgends verstanden, Englisch eher selten (Ausnahme: Touristen-Informationen), nur Französisch wird häufiger gesprochen. Es ist deswegen von großem Vorteil, sich wenigstens ein paar Grundbegriffe des Spanischen anzueignen. Für den Rucksack sei »Spanisch Wort für Wort« aus der Reihe Kauderwelsch des Reise Know-How Verlags empfohlen. Erfreulicherweise sind die Spanier sehr hilfsbereit und geduldig, wenn sie es mit sprachunkundigen Ausländern zu tun haben und sehr offen, wenn man seine bescheidenen Spanischkenntnisse an ihnen ausprobiert.

Die richtige Ausrüstung

Der wichtigste Ausrüstungsgegenstand für den Pilger sind die Schuhe. Leichte Wanderschuhe sollten es sein, die den Knöchel fest umschließen. Turnschuhe oder niedrige Trekkingschuhe sind dagegen ungeeignet. Um sich vor Regen zu schützen, sind Regenhose, Anorak und Rucksackhülle unverzichtbar. Auch ein Regenumhang, der gleichzeitig Körper und Rucksack schützt, ist praktisch. Als Rucksack kommt nur ein Modell mit Hüfttragegurt und Innentragegestell in Frage. Wie auch die Schuhe sollte man ihn in einem guten Fachgeschäft kaufen und sich beraten lassen. Den Rucksack wählen wir nicht zu klein, denn ein größerer Rucksack verursacht kaum mehr Gewicht, spart uns aber viel Zeit und Nerven beim Packen, wenn wir unsere ganzen Utensilien am Morgen in der Herberge wieder unterbringen müssen. Mindestens

Grafitti an einer Hauswand in Villalval bei Burgos

50 l Fassungsvermögen sind ratsam, etwas mehr schadet nicht. Zwei (!) Teleskopstöcke sollte man sich auch anschaffen, um auf rutschigen oder anstrengenden Wegen sicherer gehen zu können. Zum Schlafen in der Herberge eignet sich ein Leichtschlafsack besonders gut. Es gibt preisgünstige Modelle, die bei einem Gewicht von weniger als 1 kg und einem sehr kleinem Packmaß bis etwa 5 °C Außentemperatur schön warm halten. Ein Hüttenschlafsack reicht in der Regel nicht aus, denn die meisten Herbergen sind ungeheizt, und nicht immer ergattert man zusätzliche Decken. Für den Sonnenschutz braucht man einen Hut, eine Sonnenbrille und Sonnencreme mit Lichtschutzfaktor 20 oder mehr. Bei der Kleidung helfen Funktionswäsche und Fleecepullover, Gewicht zu sparen. Mehr als 10 kg Gesamtgewicht ohne Wasser sollte man nicht dabei haben, sonst wird das Tragen zu anstrengend. Trinkwasserbrunnen gibt es auf der Strecke mittlerweile reichlich, eine Trinkflasche mit 1 l Fassungsvermögen genügt deshalb. Eine sehr gute Packliste veröffentlicht beispielsweise der fränkische Jakobusverein auf seiner Webseite (siehe: »Wichtige Adressen und Telefonnummern«). Ein wichtiges Detail darf zum Schluss nicht vergessen werden: Es gehört zur Tradition des Jakobsweges, einen Stein aus der Heimat mitzubringen und diesen am Cruz de Ferro in den Montes de León abzulegen.

Wilde Landschaften: Foz de Lumbier

Medizinische Versorgung

Mitglieder gesetzlicher Krankenkassen werden im Prinzip in Spanien mit dem internationalen Krankenschein E-111 kostenlos behandelt. Die Regelungen sind allerdings kompliziert und nicht jedem Arzt bekannt. Die beste Chance hat man damit in den Gesundheitszentren (Centro de Salud). Eine zusätzliche Reisekrankenversicherung mit Kostenübernahme für den Heimtransport ist daher sinnvoll, zumal sie nicht teuer ist.

Geld, Einreise und Sicherheit

In allen größeren Orten kann mit der EC- oder Kreditkarte und der Geheimnummer am Automaten Geld abgehoben werden. Alle anderen Arten der Geldbeschaffung sind unpraktisch und teuer. Ein Reisepass oder Personalausweis ist zur Einreise vorgeschrieben, wird aber bei EU-Bürgern in der Regel nicht kontrolliert. Generell ist Nordspanien sehr sicher, vor allem natürlich in den ländlichen Regionen. In den Großstädten muss man mit der in Mitteleuropa üblichen Kriminalität rechnen, Taschendiebstahl ist wie gewöhnlich besonders an den von Touristen frequentierten Orten verbreitet. Fotokopien der persönlichen Dokumente gehören für den Notfall in den Rucksack. Niemals sollte man sein Gepäck an den Hauptsehenswürdigkeiten unbeaufsichtigt stehen lassen, auch nicht für Sekunden. So wurden an der Eunate beispielsweise von Dieben auf Motorrädern die von Pilgern außen abgestellten Rucksäcke entwendet. Auch in den Pilgerherbergen muss man seine Wertsachen immer in einer kleinen Tasche bei sich tragen, um unliebsamen Überraschungen vorzubeugen. Eine Belästigung alleinreisender Frauen kommt praktisch nicht vor. Das größte alltägliche Sicherheitsproblem ist der Straßenverkehr. Rücksichtnahme auf Fußgänger ist absolut unüblich, insbesondere an Schnellstraßen ist daher äußerste Vorsicht geboten.

Zeitbedarf, Anreise und Rückreise

Die für die Wanderung benötigte Zeit hängt natürlich stark von der persönlichen Fitness ab. Durchschnittliche Geher werden von Pamplona bis nach Santiago etwa 5 Wochen brauchen, für den Zugangsweg durch die Pyrenäen sind 3 Tage (Navarrischer Weg) beziehungsweise 5 Tage (Aragonischer Weg) zu veranschlagen. Weitere 3 Tage dauert der Ausflug zum Meer. Bei der persönlichen Tourenplanung sollte man hin und wieder einen Ruhetag vorsehen, das reduziert das Verletzungsrisiko durch Überbeanspruchung und erhöht den Spaß an der Wanderung. Die einfachste Anreisemöglichkeit bietet das Flugzeug. Die Flugreise ist vor allem für Pilger interessant, die weniger Zeit haben und feste An- und Abreisezeiten einhalten können oder müssen. Die Städte Nordspaniens werden fast ausschließlich von der Fluglinie Iberia bedient. Sie offeriert einen Gabelflug mit Hinreise nach Pamplona und Rückreise von Santiago für etwa 450 € (Stand 2004). Wegen der Wartezeiten beim Umsteigen ist mit einer Flugzeit von 5–7 Stunden zu rechnen. Ähnliche Flugangebote gibt es nach Logroño oder León. Häufig werden auch preisgünstigere Flüge nach Bilbao angeboten. Von dort fährt man dann mit Bahn oder Bus an den jeweiligen Ausgangsort (mehr Informationen unter: »Wichtige Adressen und Telefonnummern«). Mit der Bahn müssen 1–2 Tage für die Reise kalkuliert werden (als Beispiele sind im folgenden die Fahrtzeiten von München aus angegeben). Die beiden Ausgangsorte in den Pyrenäen, Saint-Jean-Pied-de-Port und Somport-Pass, erreicht man in etwa 25 Stunden. Die Verbindung nach Saint-Jean-Pied-de-Port verläuft über Paris und Bayonne. Zum Somport-Pass gelangt man über Paris, Pau und Oloron-Sainte-Marie. Ab dort fährt dann mehrmals täglich ein Bus auf den Pass hinauf. Nach Pau kann man auch mit der Air France fliegen. Andere Ausgangsorte entlang des Weges erreicht man am besten, wenn man mit der Bahn über Paris und dann mit dem Nachtzug mit Liegewagen nach Irún reist. Ab hier gibt es eine Bahnlinie über Burgos, Sahagún, León, Astorga und Ponferrada nach Galicien. Die Fahrtzeiten variieren je nach Ziel zwischen 25 und 30 Stunden. Für die Rückfahrt von Santiago auf dieser Strecke benötigt man mit der Bahn mindestens 32 Stunden. Die Bahnpreise beginnen bei etwa 200 €, längere Strecken sind entsprechend teurer. Preisgünstig, aber auch relativ unbequem ist die Fahrt mit dem Bus. 36 Stunden Busreise von Santiago nach Deutschland sind schon für etwa 150 € zu haben. Fahrkarten sind in Santiago am Reiseschalter des Pilgerbüros erhältlich (mehr Informationen unter: »Wichtige Adressen und Telefonnummern«). Innerhalb Spaniens sind die Linienbusse ein gutes und preisgünstiges Verkehrsmittel. In den Städten fahren die Fernbusse vom Busbahnhof ab (estación de autobuses), in den kleineren Orten muss man nach der Haltestelle (parada) fragen. Das System ist relativ unkoordiniert, über Anschlussbusse anderer Linien weiß man am Schalter nichts, an vielen Haltestellen wird nur auf Anfrage gestoppt, Fahrpläne hängen nur selten aus. Hier hilft nur durchfragen. Ist man erst im richtigen Bus, funktioniert alles meist reibungslos und pünktlich.

Gebrauchsanweisung für diesen Führer

Es ist nicht möglich, den Camino in Tagesetappen aufzuteilen, die jedem gerecht werden. Der eine fühlt sich mit 20 km am Tag

schon ausgelastet, der andere kommt bei Kilometer 30 erst so *Die* richtig in Fahrt. Wir beschreiben deshalb größere Wegabschnitte, *Kathedrale* die nach praktischen Gesichtspunkten zusammengestellt wur- *von Burgos* den, und geben Hinweise zur Unterteilung in Tagesetappen. Die Kilometerangaben hinter den Ausgangs- und Zielorten der jeweiligen Wegabschnitte im Tourenkasten geben die Distanz nach Santiago de Compostela an.

Bei diesem Wanderführer wurden die Schwerpunkte auf Fragen wie Übernachtungsmöglichkeiten und Wegbeschaffenheit gesetzt, zu Kultur und Sehenswürdigkeiten haben wir kurze Tipps und Informationen zusammengestellt. Detaillierte Wegbeschreibungen geben wir dort an, wo Markierungen fehlen, nicht eindeutig sind oder die Wegfindung aus anderen Gründen schwierig ist. Für die Begehung des Camino sind keine weiteren Landkarten nötig, die nahezu immer ausgezeichneten Markierungen reichen aus. Bei den Übernachtungsmöglichkeiten konzentrieren wir uns auf Herbergen und andere preisgünstige Pilgerunterkünfte. Hotels und Pensionen erwähnen wir nur dann, wenn sie entweder besonders empfehlenswert sind oder wenn sonst keine Alternativen existieren.

Nach all diesen Erläuterungen bleibt nur noch eins zu sagen: »Buen Camino!« So wird man als Pilger überall auf dem Weg gegrüßt, und auch wir wünschen jedem, der diesen Weg der Wunder geht, eine gute Reise und eine glückliche Heimkehr.

Wichtige Adressen und Telefonnummern

Anreise

▶ *Bus:*
Deutsche Touring GmbH, www.deutsche-touring.com
Büro Frankfurt: 069/790350, Am Römerhof 17.
Büro Köln: 0221/135252, Busbahnhof am Breslauer Platz.
Büro München: 089/5458700, Starnberger Bahnhof, Arnulf-
straße 3.

▶ *Flugzeug:*
Iberia, www.iberia.de
Infotelefon Deutschland: 01803/000613.
Infotelefon Österreich: 01/7956 76 12.
Infotelefon Schweiz: 0844/84 51 11.
Bei der Buchung nach Pilgerrabatten fragen!

Botschaften und Generalkonsulate

▶ *Deutschland:* Madrid, Calle Fortuny 8, 913199100; Bilbao,
Calle San Vicente 8, 944238585.

▶ *Österreich:* Madrid, Paseo de la Castellana 91, 915565315.

▶ *Schweiz:* Madrid, Calle Núñez de Balboa 35, 914313400.

Internet
Im Internet findet man unter www.mundicamino.com eine der
vollständigsten Quellen über die spanischen Jakobswege. Ein
großer Teil der Informationen ist auch auf Deutsch verfügbar.

Jakobusgesellschaften (Auswahl)

▶ *Deutschland:*
Deutsche St. Jakobus Gesellschaft
Harscampstraße 20, D-52062 Aachen.
Fränkische St. Jakobus-Gesellschaft
Friedrich-Wencker-Straße 3, D-97215 Uffenheim;

Beantragung von Pilgerpässen und Ausrüstungsliste, Sekretär: Ferdinand Seehars, ferdinand.seehars@t-online.de
Sankt-Jakobusbruderschaft Düsseldorf e.V.
Rathausstraße 29, D-42659 Solingen

▶ *Österreich:*
Jakobusgemeinschaft Innsbruck
Domplatz 6, A-6030 Innsbruck
St. Jakobusbruderschaft zur Förderung der Pilgerbewegung
Stangaustraße 7, A-2392 Sulz im Wienerwald

▶ *Schweiz:*
Die Freunde des Jakobswegs
Schützenstraße 19, CH-8702 Zollikon.

Literatur

Das hauptsächlich in Spanisch geschriebene Buch »miam-miam-dodo en el camino francés« des französischen Verlags »Les éditions du Vieux Crayon« ist eine Art Gelbe Seiten für den Jakobsweg. Es enthält keine Wegbeschreibungen, aber detaillierte Angaben zu Übernachtungs- und Einkaufsmöglichkeiten. Eine jährliche Aktualisierung ist geplant. In Deutschland bekommt man es am einfachsten im Internet über www.amazon.de, in Spanien ist es auch in vielen Geschäften erhältlich.

Notruf

Allgemeiner Notruf in Spanien: 112 (Polizei, Feuerwehr, Ambulanz).

Telefon

Deutschland: 0049
Österreich: 0043
Schweiz: 0041
Die führende Null der Ortsvorwahl ist wegzulassen.
Spanien: 0034 + Teilnehmernummer, es gibt keine Ortsvorwahl mehr.

Telefonkarten (tarjeta telefónica) und Briefmarken (sello) kann man in Tabakläden kaufen.

1 Über den Somport-Pass hinunter nach Jaca

Auf dem Aragonischen Weg durch die Pyrenäen: Puerto de Somport (Somport-Pass) – Canfranc – Villanúa – Castiello de Jaca – Jaca

Eine herrliche Hochgebirgsetappe steht am Beginn unseres ehrgeizigen Wanderprogramms. Auf schönen Pfaden genießen wir die Bergwelt der Pyrenäen, bevor uns das alte, aber durchaus lebendige Städtchen Jaca willkommen heißt, in dem ehrwürdige Pilgertradition und moderner Tourismus wunderbar harmonieren.

mittel

32 km

1–2 Tage

▶ **Tourencharakter:** Auf diesem Wegabschnitt insgesamt 800 Hm Abstieg, im Wesentlichen im ersten Streckendrittel; Wegverlauf zunächst auf schönen Berg- und Wanderpfaden, später auf Wirtschaftswegen, häufig an oder nahe der N 330.

▶ **Ausgangspunkt:** Somport-Pass (868 km).

▶ **Endpunkt:** Jaca (836 km).

▶ **Markierung:** gelbe Pfeile und Schilder, außerdem rot-weiße Markierungen des GR 65.3.

▶ **Einkehr:** am Somport-Pass sowie an allen Orten entlang des Weges.

▶ **Einkaufsmöglichkeiten:** Somport-Pass (beschränkt), Canfranc-Estación, Villanúa, Castiello de Jaca, Jaca.

▶ **Pilgerherbergen:** *Jaca:* schöne und großzügige Herberge im alten Pilgerhospital, Calle Conde de Aznar 3, Tel. 974 355 758, 32 Plätze, ganzjährig geöffnet ab 17 Uhr, im Sommer ab 15 Uhr, Küche und Aufenthaltsraum; *weitere Unterkünfte: Canfranc-Estación:* Albergue Pepito Grillo, Hauptstraße/Ortseingang links, Tel. 974 373 123, 42 Plätze, Bar; Turismo Rural La Tuca, Tel. 974 373 104 bzw. Casa Marieta, Tel. 974 373 365, beide Plaza de Aragón, links der Hauptstraße/Ortseingang, einfache Pensionen, je 6 Zimmer, Etagenbad, Aufenthaltsraum, Frühstück; *Canfranc-Pueblo:* Refugio Sargantana, am Weg rechts, Tel. 974 373 217, 100 Plätze, Bar, oft von Gruppen belegt; weitere Übernachtungsmöglichkeiten in Villanúa, Castiello de Jaca und direkt am Pass.

▶ **Tourist-Info:** 22880 Canfranc-Estación, Plaza del Ayuntamiento 1 (im Ort rechts an der Hauptstraße), Tel. 974 373 141; 22700 Jaca, Avenida Regimiento Galicia 2, Tel. 974 360 098.

Der Wegverlauf

Die Gestaltung des ersten Wandertages hängt im Wesentlichen von unserer Ankunftszeit am Somport-Pass ab. Bei Anreise mit dem Frühbus kann man durchaus Jaca als Ziel anpeilen, trifft man dagegen erst in den Nachmittagsstunden ein, so ist in jedem Fall eine zusätzliche Übernachtung nötig. Dafür empfiehlt sich der nahegelegene Ort Canfranc-Estación, wo es alles gibt, was der Pilger braucht.

Wer mag, trinkt vor dem Beginn der Wanderung in der Albergue Aysa direkt am Pass noch einen schnellen Kaffee und lässt sich den schönen Stempel in den Pilgerausweis geben (den ersten!). Falls es die Umstände erfordern, kann man hier auch übernachten. Dann aber geht's los, ein paar Schritte rechts der Albergue beginnt der Weg, durch Schild und Wegstein unübersehbar markiert. Der Wiesenpfad führt uns zunächst in Richtung Candanchú, einem modernen Skiort. Einst befand sich hier das Pilgerhospital Santa Cristina de Somport, das bereits in der ersten Hälfte des 11. Jh. urkundlich erwähnt wurde.

Unter den Pilgern war es damals hoch gerühmt, nahm es doch der anstrengenden und gefahrvollen Bergwanderung viel von ihrem Schrecken. Der Niedergang setzte ein, nachdem am Ibañeta-Pass auf dem Navarrischen Weg ebenfalls ein Hospiz errichtet wurde und die Pilger sich mehr und mehr für jenen Zugang entschieden (was ja heute immer noch so ist). Wir überqueren den Aragón – namensgebend für die gesamte Region – auf der Puente de Santa Cristina und erreichen schließlich die Nationalstraße 330, die wir kreuzen.

Auf der anderen Straßenseite setzen wir unseren Weg auf Pisten und Pfaden fort. Eine Brotfabrik ist das erste Haus von **Canfranc-Estación**, das wir nach ca. 2 Stunden passieren. Es steht

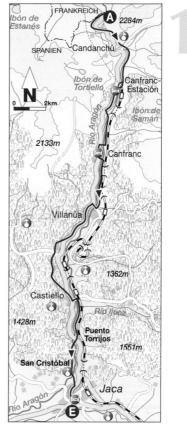

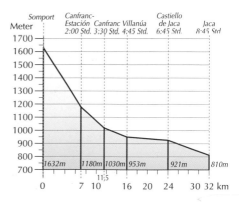

etwas außerhalb des Ortes, den wir aber von hier aus bereits sehen können. Wir gelangen nun auf die N 330, die Canfranc-Estación als Hauptstraße durchzieht. Das riesige Jugendstilgebäude des Bahnhofs, 1928 als internationale Bahnstation eröffnet, aber seit 1970 nur noch Endpunkt der Regionalstrecke, dominiert den Ort. Etwa ab Ortsmitte folgt man dem Flussufer des Aragón, eine Häuserreihe schiebt sich nun zwischen uns und die N 330, die wir aber am Ende der Ansiedlung wieder erreichen.

Hinter Canfranc-Estación mündet der Somport-Tunnel in einem großangelegten Areal, das wir entlang der Nationalstraße hinter uns lassen. Dazu wenden wir uns nach rechts und gehen in einen Tunnel hinein, wandern dann kurz an einem Stausee entlang und schließlich noch einmal durch einen Tunnel. Danach führen Treppen links hinunter zum Fluss. Über eine Brücke gelangen wir auf die linke Talseite und dort wieder auf einen schönen Wanderweg.

Von hier haben wir jetzt einen guten Ausblick auf die »Torreta de Fusileros«, einen Festungsbau aus dem 19. Jh. Das vor kurzem renovierte Gebäude beherbergt ein Tunnel-Informationszentrum.

Ostern am Somport-Pass

Schließlich erreichen wir Canfranc-Pueblo, also das historische
Canfranc (3 ½ Std.). Wir durchqueren das Dörfchen auf dem alten Pilgerweg, der »sirga«, wo
früher links und rechts aufgereiht
nahezu alle Häuser des Ortes

Pilgerpass

Wenn man noch keinen Pilgerpass besitzt,
dann kann man dieses unentbehrliche »Credencial« in Jacas Pilgerbüro in der Santiago-
Kirche bekommen (Calle Ferrenal in der Altstadt, bis 20:30 Uhr). In der Kirche findet auch
täglich die Pilgermesse statt (20 Uhr).

standen. Diese für Siedlungen entlang der Pilgerstraßen charak-
teristische Struktur ist heute noch gut erkennbar. Eine kleine
mittelalterliche Bogenbrücke (12. Jh.) bringt uns erneut über den
Río Aragón, anschließend wandern wir auf breiten und bequemen Wegen nach **Villanúa** (4¾ Std.). Vor dem Ort schwenken
wir nach rechts über eine Brücke und treffen auf die N 330, neben der wir dann durch westlich des Ortskerns gelegene Neu-
baugebiete laufen (Einkaufsmöglichkeit).
Auch nach Villanúa – am Ortsausgang findet sich ein neu angelegter Rastplatz mit Brunnen – gehen wir zunächst parallel der
Straße, bevor wir uns auf einem leicht ansteigenden Fahrweg von

*Furt über den
Río Aragón*

Die Kathedrale San Pedro in Jaca

Die Kathedrale von Jaca, ist eine der ältesten romanischen Kirchen Spaniens (Baubeginn in der 2. Hälfte des 11. Jh.). Trotz späterer Veränderungen dominieren die frühromanischen Stilelemente. Besonders sehenswert sind die Statuen der Portale und die Figurenkapitelle (Eintritt frei). Das Museum im Kreuzgang zeigt vor allem romanische Fresken aus Kirchen der Umgebung (Gebühr).

ihr abwenden. Landwirtschaft prägt nun das Tal, das inzwischen breit geworden ist und nur noch von niedrigen Bergketten gesäumt wird.

In **Castiello** angekommen folgt man einer Pflasterstraße durch den Ort zügig bergab und zurück zur N 330, die man kreuzt (Einkehr- und Einkaufsmöglichkeiten, 6¾ Std.). Wieder queren wir den Aragón und stehen kurz darauf an der Furt durch den Río Ijuez, die sich aus zwei Reihen mit unterschiedlich hohen Trittsteinen zusammensetzt. Bei niedrigem Wasserstand ist das Balancieren auf den unteren Tritten ein problemloses kleines Abenteuer.

Wenn jedoch, z. B. nach starken Regenfällen oder zum Zeitpunkt der Schneeschmelze, einige dieser Steine vom Wasser überspült werden, sieht die Sache schon etwas anders aus. Im Zweifelsfall also lieber den Rückmarsch zur N 330 antreten!

An der Puente Torrijos, bei der alsbald auch die »Furtüberquerer« die Nationalstraße kreuzen müssen, gelangt man wieder auf den Wanderweg. Die Peña Oroel, Jacas markanter Hausberg (1769 m) und auch die Stadt selbst rücken hier ins Blickfeld. Diese Aussicht beflügelt, und die letzten 4 km wandern sich fast von allein.

Nachdem wir kurz vor **Jaca** noch die Einsiedelei San Cristóbal (Brunnen) passiert haben, erreichen wir nach ein paar Schritten steilen Anstiegs den Stadtrand. Wir gehen entlang der breiten Ausfallstraße stadteinwärts und kommen schließlich bei der fünfeckigen Zitadelle an. An dieser vorbeigehend wenden wir uns nach links der Altstadt zu und folgen der Ausschilderung zur Kathedrale.

Von hier aus weisen gelbe Pfeile und Kacheln mit Muschelsymbol im Straßenpflaster den Weg durch die verwinkelten Gassen der Altstadt zur schönen Herberge (8¾ Std.).

Von Jaca zur alten Pilgerstadt Sangüesa

Auf dem Aragonischen Weg: Jaca – Santa Cilia de Jaca – Artieda – Ruesta – Undués de Lerda – Sangüesa

2

Wieder folgen wir dem Lauf des Río Aragón und wandern durch die fruchtbare Beckenlandschaft des Canal de Berdún zum schönen Yesa-Stausee. Hier verlassen wir das sich verengende Tal über einen flachen Höhenrücken, um schließlich das reizende Städtchen Sangüesa zu erreichen.

▶ **Tourencharakter:** Der Weg führt größtenteils auf oder neben Autostraßen, breiten Pisten und Wirtschaftswegen, kaum Fuß- und Wanderpfade, ausgenommen Nebenrouten.

▶ **Ausgangspunkt:** Jaca (836 km).

▶ **Endpunkt:** Sangüesa (761 km).

▶ **Markierung:** an der Hauptroute Jakobswegmarkierungen, Nebenstrecken sind auch rot-weiß gekennzeichnet.

▶ **Einkehr:** Hotel Aragón vor Santa Cilia de Jaca, Santa Cilia de Jaca, Campingplatzrestaurant an der N 240 vor Puente la Reina de Jaca, Puente la Reina de Jaca (Abstecher!), Artieda (Herberge, beschränkt), Ruesta (Herberge), Undués de Lerda; Nebenroute: San Juan de la Peña (nur Hauptsaison), Santa Cruz de la Serós

▶ **Einkaufsmöglichkeiten:** sehr begrenzt (Proviant mitführen!): Santa Cilia de Jaca, Puente la Reina de Jaca (Abstecher!), Campingplatzladen in Ruesta (nur Hauptsaison); keine Bank bis Sangüesa!

▶ **Pilgerherbergen:** *Santa Cilia de Jaca:* sehr schöne Gemeindeherberge, von der Calle Mayor bei der Bar rechts abbiegen, 32 Plätze, ganzjährig geöffnet, Küche, Aufenthaltsraum, Waschmaschine;
Arrés (Abstecher!): 16 Plätze, ganzjährig geöffnet, Küche, Aufenthaltsraum, im Sommerhalbjahr von Freiwilligen betreut, die bei guter

Belegung auch Essen zubereiten;
Artieda: private Herberge, bei der Kirche, Tel. 948 439 316, 20 Plätze, Mahlzeiten, im Winter samstags geschlossen;
Ruesta: private Herberge, am Weg, Tel. 948 398 082, 78 Plätze, ganzjährig geöffnet, Mahlzeiten (Frühstück für Pilger ab 7 Uhr, vorbestellen);
Undués de Lerda: Gemeindeherberge in einem Palast aus dem 16. Jh., oben im Ort bei der Kirche, Tel. 948 888 105, 56 Plätze, in der Nebensaison nicht immer geöffnet;
Sangüesa: Herberge der »Hijas de la Caridad«, Calle Enrique Labrit, Tel. 948 870 042, 12 Plätze, ganzjährig geöffnet, Küche/Aufenthaltsraum, Anmeldung/Schlüssel ab 11 Uhr im Seniorenheim um die Ecke; in der Hauptsaison gibt es für Pilger auch Schlafplätze in Zelten am Campingplatz von Sangüesa (mit Schwimmbadbenutzung!), Paseo Cantolagua, Tel. 948 430 352;
weitere Unterkünfte: Santa Cruz de la Serós (Nebenroute): Hostelería Santa Cruz, am Weg rechts unweit der Kirche, Tel. 974 361 975, gehobene Preisklasse, in der Hauptsaison häufig ausgebucht; Übernachtungsmöglichkeiten auch in Puente la Reina de Jaca (Abstecher!).

▶ **Tourist-Info:** 31400 Sangüesa, Calle Mayor 2 (gegenüber der Kirche Santa María la Real), Tel. 948 871 411.

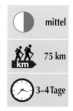

mittel

75 km

3–4 Tage

2

Der Wegverlauf

Um Jaca zu verlassen, folgt man von der Herberge aus entweder den gelben Pfeilen bzw. Muschelkacheln durch die Altstadt und an der Santiagokirche vorbei oder wählt den etwas schnelleren Weg über Calle Mayor und Avenida de la Constitución. Durch ein Neubaugebiet verlassen wir dann die Stadt und erreichen die N 240. Bis Puente la Reina de Jaca verläuft die Hauptroute des Jakobsweg nun parallel zu dieser Straße und kommt ihr mal mehr und mal weniger nah. Hinter der Brücke über den Río Gas, die wir auf der N 240 nach etwa 1 Stunde überqueren, bietet sich eine alternative Streckenführung an: eine Nebenroute des Jakobswegs über das berühmte Kloster San Juan de la Peña.

Über den Monte Guaso und Atarés nach San Juan de la Peña

Diese Wegvariante gehört sowohl landschaftlich wie kulturell zu den absoluten Höhepunkten des Jakobswegs. Aufgrund von Wegbeschaffenheit und -länge ist diese Extratour allerdings nur konditionsstarken Wanderern vorbehalten, und für den steilen Abstieg nach Santa Cruz de la Serós sollte man zudem trittsicher sein. Der Wegverlauf ist mit den rot-weißen Markierungen des GR 65.3.2 gekennzeichnet, diese sind allerdings stellenweise schon recht verblasst.

Die Abzweigung nach San Juan de la Peña befindet sich etwa 100 m hinter der Brücke über den Río Gas. Dort, nach einem Fabrikgebäude, weist uns ein altersschwaches, kaum mehr lesbares Schild links eine breite Schotterpiste hinauf. Nach einigen Minu-

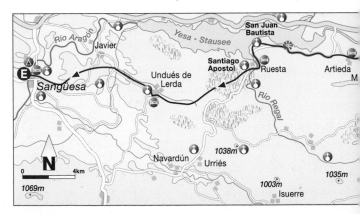

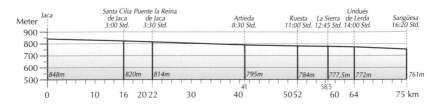

ten verlassen wir diesen Weg in einer Rechtskurve und gehen in ein kleines Bachtal hinunter. Dann geht's rechts hinauf zum Monte Guaso, anfangs steigt der Pfad nur mäßig an, in einem Wäldchen wird er schließlich steil. Wir erreichen ein kleines Plateau, wo wir uns links bergauf wenden. Ein paar Minuten später stoßen wir auf einen Querweg: Ein Stock mit rot-weißer Markierung schickt uns erneut nach links. Schließlich kreuzt ein Feldweg unseren Pfad (Markierungsstock, Steinmännchen). Serpentinen bringen uns jetzt rasch wieder talwärts, dann laufen wir aber noch eine ganze Weile recht gleichmäßig am Hang entlang, bis Atarés ziemlich unvermittelt nach einer Biegung auftaucht (2 Std.). Wir gehen geradeaus in den Ort hinunter und durchqueren ihn nach unten. Am Brunnen bei der Kirche füllen wir unsere Wasservorräte auf, denn sie müssen nun bis zum Kloster reichen. Beim Dorfende gelangen wir an die Fahrstraße, die wir schon von oben sehen konnten. Auf ihr queren wir das Tal und den Barranco de Atarés und bleiben auf der nun leicht ansteigenden Piste für die nächsten etwa 1½ km. Nach der dritten Bachüberquerung – der Bach ist rechts – treffen wir in einer

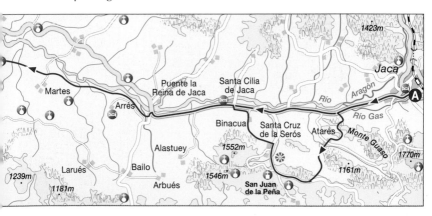

2

Kurve auf eine Abzweigung, wo wir uns vom Hauptweg nach rechts auf den schmaleren Fahrweg verabschieden. Diesen verlassen wir wiederum einige Minuten später zu Gunsten eines Pfades nach links. Wir nähern uns dem Hang, wo es jetzt gilt, die volle Höhe der Sierra de San Juan de la Peña zu erklimmen. Auf einem teilweise steilen und etwas mühsamen Pfad schrauben wir uns hinauf, schöne Rückblicke ins Tal und auf die Peña Oroel entschädigen aber für die Anstrengung. Schließlich gelangen wir an die Autostraße zum Kloster (4 Std.), hier haben wir's geschafft, es geht nur noch schwach bergan, bald gar nicht mehr. Gleich kommt rechts ein kurzer Abschneider, danach verlassen wir die Teerstraße bis zum oberen, neuen Kloster nicht mehr. Dort angekommen eröffnet sich ein herrliches Wiesengelände, direkt vor uns befindet sich die schöne Barockfassade des Klosters und linker Hand in Richtung der im Wald versteckten Parkplätze eine Bar (leider nur in der Hauptsaison geöffnet, 4 3/4 Std.). Rechts am Klostergebäude vorbei führt ein Waldweg zum so genannten Pyrenäenbalkon, einer Abbruchkante, die spektakuläre Aussichten bietet. Bei klaren Sichtverhältnissen sollte man sich die 15 Minuten für einen Abstecher dorthin nehmen. In einem Linksbogen um den Gebäudekomplex herum bringt uns nun die Straße in ca. 20 Minuten hinunter zum alten Kloster, das in geradezu atemberaubender Weise unter einen Felsen (»peña«) gebaut wurde. Die

San Juan de la Peña

Abstiegsroute nach Santa Cruz de la Serós ist ausgeschildert und führt zunächst abwärts am Toilettenhäuschen vorbei, dann nochmals ein kurzes Stückchen aufwärts, bis man schließlich den Wald verlässt. Dort hält man geradeaus auf eine Stromleitung zu und achtet auf Steinmännchen und Trittspuren. Gelände und Weg sind jetzt steil, Vorsicht ist geboten, besonders bei Nässe! Bald sind wir unten in **Santa Cruz de la Serós** (6³/4 Std.), das gleich mit zwei romanischen Kirchen aufwarten kann: Santa María, das einzig verbliebene Gebäude des einst bedeutendsten aragonischen Nonnenklosters, und die kleine Kirche San Caprasio. Am Ortsende vor dem Brunnen führt nach links der Wanderweg nach Binacua, auf dem uns jetzt noch mal ein Anstieg abverlangt wird. Bald ist der breite Feldweg zum Pfad geworden, der sich durch eine herrlich wilde, einsame Landschaft windet. Binacua wird schließlich sichtbar, es liegt auf einer Anhöhe, von Schafweiden umgeben (8 Std.). Wir durchqueren den Ort und folgen auf der anderen Seite erst der geteerten Zufahrtsstraße und dann steilen Abschneidern weiter talwärts. Unten im Tal angekommen, aber noch vor der Nationalstraße, wendet man sich nach links über eine Brücke und dann sofort wieder nach rechts. Hier sind wir nun wieder auf der Hauptroute angelangt (Gehzeit bis Santa Cilia de Jaca 8¹/2 Std.).

Blick auf Binacua

Die Hauptroute entlang der Nationalstraße 240

Der Hauptweg ist erheblich kürzer und einfacher als die »Klostervariante«. Nach der Brücke über den Río Gas kreuzt man die

2 Kirchen in Sangüesa

Im schönen Sangüesa künden viele bedeutende Bauwerke von glanzvoller Jakobsweg-Vergangenheit: Schmuckstück ist die Kirche Santa María la Real (Eintritt), deren über und über mit Figuren verziertes Südportal sich dem Wanderer auf der Sirga präsentiert. Eine Jakobskirche gibt es natürlich auch, ihr Hauptportal ziert eine hübsche, bunte Santiagostatue.

Die Kirche San Francisco mit dem zugehörigen Kloster hingegen führt sich auf den berühmtesten aller Pilger zurück: es ist der Heilige Franz selbst, der auf seinem Weg zum Apostelgrab einst hier vorbeigekommen sein soll.

N 240 zweimal und ist schließlich wieder auf der linken Straßenseite, auf der man nun bis Santa Cilia de Jaca bleibt. Bald ist der Barranco de Atarés mittels einer Furt zu queren, etwa eine Stunde später ein weiterer Bach. Hier befindet sich auch das Hotel Aragón, das zu einer Pause einlädt. Ein paar hundert Meter hinter dem Gebäude kreuzt dann die Landstraße nach San Juan de la Peña unseren Weg. Etwa 30 Minuten später treffen wir erneut auf ein Teersträßchen, das wir alsbald nach links über eine Brücke verlassen – Neben- und Hauptroute haben sich wieder vereint. Unser Weg nähert sich nun kontinuierlich der Nationalstraße an, um sie bei **Santa Cilia de Jaca** schließlich zu erreichen. Wir überqueren die N 240 und wandern auf der anderen Seite dem Straßenverlauf folgend ins Dorf hinein (2 Std.).

Am Dorfplatz vorbei kommen wir am hinteren Ortsende wieder bei der Nationalstraße an und halten uns nun auf einem Fahrweg, der rechts parallel zu ihr verläuft. Bei einer Brücke endet dieser Weg, wir wechseln deshalb auf die andere Straßenseite. Rechts kommt ein Campingplatz in Sicht, das dazugehörige Restaurant steht direkt an der N 240. Wir verlassen die zum Schluss leicht ansteigend verlaufende Straße schließlich in einer Linkskurve nach rechts unten, um ein Stückchen durch einen schönen Auwald zu laufen. Fleißige Hände haben hier links und rechts des Weges eine Galerie von kunstvoll aufgeschichteten Steinmännchen errichtet. Nach 10 Minuten endet der angenehme Waldweg, und wir kehren zur Straße zurück, um kurz darauf an der »Brücke der Königin« zu stehen (3 1/2 Std.). Der Ort **Puente la Reina de Jaca** – nicht zu verwechseln mit dem berühmten Puente la Reina in Navarra – befindet sich auf der anderen Seite des Flusses. Wer dort rasten oder einkaufen möchte, macht einen kurzen Abstecher hinüber.

2

Einsame Wege nach Artieda

Eine halbe Stunde später – wir gehen auf der Landstraße nach Arrés – zweigt links der Fußweg in das Dorf ab. Wer dort in der Pilgerherberge übernachten möchte, biegt jetzt ab. Der schöne und aussichtsreiche Steig erfordert etwa 20 Minuten Anstieg und ist, wie auch der Weiterweg hinter Arrés zurück auf die Hauptroute, gut markiert (zusätzlich ca. 21/2 km). Das malerisch auf einem Sattel liegende Dörfchen mit seinen Türmen war schon weitgehend dem Verfall preisgegeben, bis in den letzten Jahren eine Wiederbelebung stattfand, was hier wie auch andernorts nicht zuletzt der Pilgerei zuzuschreiben ist. Ansonsten folgt man weiter der Landstraße und verlässt sie schließlich dort, wo sie sich in einem Linksbogen Richtung Arrés hinaufwendet.

Für die nächsten 6 km wandern wir nun auf breiten Pisten, die recht geradeaus dahinführen. Am Rande dieser einsamen Wege fallen eigentümliche nackte, grau-schwarze Gesteinsformationen auf, von denen wir später noch mehr sehen werden. Schließlich erreichen wir die Landstraße Martes-Berdún (21/2 Std.). Der letztgenannte Ort, namensgebend für diese Beckenlandschaft, fällt rechter Hand schon seit einiger Zeit ins Auge, thront er doch hoch oben auf einem Tafelberg.

Wir biegen hier links ab, steigen aber gleich wieder nach rechts steil die Terrasse hinauf und gehen an einem Wirtschaftsgebäude vorbei. Fast ausschließlich auf Feldwegen wandern wir nun weiter. In einem weiten Tal durchqueren wir zwei Bäche und passie-

Das einsame Dorf Arrés

ren dann in einigem Abstand das schön am Berghang gelegene Mianos. Welliges Gelände liegt nun vor uns, und wir müssen bis Artieda noch eine Reihe von kurzen An- und Abstiegen bewältigen. Schließlich wird das Dorf sichtbar, einige Minuten später erreichen wir auch die Landstraße dorthin. Bequem wandern wir jetzt die letzten Meter bis zu einer Kreuzung unterhalb des Ortes. Dort wendet man sich entweder links hinauf nach **Artieda** oder folgt rechts auf einer Piste dem weiteren Verlauf des Jakobswegs (5 Std.).

Am schönen Yesa-Stausee vorbei nach Ruesta

Wer nach Artieda zur Herberge hinaufgelaufen ist, wendet sich beim Verlassen des Ortes nach links, d.h. nach Westen, um nach einer Viertelstunde wieder auf den Jakobsweg zu stoßen. Kurz danach treffen wir auf ein kaum befahrenes Teersträßchen, dem wir bis zum Rand eines Plateaus folgen. Wir steigen links aufwärts, kreuzen wenig später die Landstraße und befinden uns *Schafweiden* nun auf einem Pfad nahe des Yesa-Stausees in einem lichten *am Yesa* Wäldchen mit kleinen knorrigen Eichen, Wacholder und Buchs. *Stausee* Aus dem Wald wird schließlich Gestrüpp mit langen dornigen

Ruinendörfer am Río Aragón

Nach dem Aufstauen des Yesa-Sees verarmten viele der Orte im Canal de Berdún, denn die Überflutung der Felder zerstörte ihre Lebensgrundlage. Die Dörfer – Ruesta ist nur eines davon – wurden verlassen und verfielen. Auch die historische Trasse des Jakobswegs befindet sich heute teilweise unter Wasser, sie verlief nämlich, wie jetzt die N 240, entlang des nördlichen Flussufers.

Ranken. Wenig später öffnet sich eine von Büschen umstandene Wiesenfläche, die Ruine der Ermita de San Juan Bautista (11.Jh.), durch eine Dachkonstruktion geschützt, ist erreicht. Einfache Bänke laden zu einer beschaulichen Rast. Von hier sind es nur noch 20Minuten bis Ruesta, einst bedeutender und stark befestigter Grenzposten nach Navarra, bis vor nicht allzu langer Zeit jedoch völlig dem Verfall preisgegeben (2 1/2 Std.).

Über einen Höhenrücken nach Undués de Lerda

Am Herbergsgebäude von Ruesta vorbei laufen wir auf einem gepflasterten Weg steil abwärts und überqueren auf einer Holzbrücke den Río Regal. Auf dem dortigen Gelände des Campingplatzes passieren wir den Jakobsbrunnen, wenig später eine romanische Santiago-Kapelle, Überrest einer Einsiedelei. Auf breiten, zur Waldarbeit genutzten Pisten wandern wir jetzt durch Forst und steigen dabei fast kontinuierlich an. Der Weg ist eher unschön, erlaubt jedoch stellenweise herrliche Ausblicke auf den See. Nach 1 3/4 Stunden sind wir oben auf dem Rücken angekommen. Auf einer gemächlich abfallenden Piste schlendern wir jetzt Richtung Undués de Lerda und genießen die schöne Aussicht. Auch der Ort ist bald zu sehen. Bei einem einsam in der Landschaft stehenden Baum

Ermita de San Juan Bautista

verlassen wir die breite Piste nach links und kommen auf einen Pfad, der stetig abwärts in ein Bachtal führt, wo er schließlich in einer Römerstraße aufgeht. Wir erreichen **Undúes de Lerda** im tiefergelegenen Ortsteil, Herberge und Bar befinden sich links oben, der Jakobsweg hingegen setzt sich gleich hier fort (3 Std.).

Nach Navarra in die prachtvolle Pilgerstadt Sangüesa

Wir verlassen Undúes de Lerda und wechseln auf dem Weg nach Sangüesa mehrmals zwischen Pfaden und Feldwegen. Bald kreuzt unser Weg die Landstraße und etwa eine Viertelstunde später erreichen wir die Grenzlinie von Navarra, die durch eine Steinstele angezeigt wird.

Kurz danach queren wir erneut eine Landstraße und finden uns auf einer geraden Piste wieder, auf der wir bis kurz vor Sangüesa bleiben. Im Scheitelpunkt eines kurzen Anstiegs – Sangüesa rückt ins Blickfeld – biegen wir links auf einen steinigen Feldweg ab und steuern bogenförmig auf die Stadt zu. Nach einer halben Stunde haben wir sie schließlich erreicht, passieren eine Unterführung, überschreiten die N127 und gehen an der Stierkampfarena vorbei in die Calle Magdalena (2½ Std.). Die dritte Seitenstraße rechts ist die Calle Enrique Labrit, in der sich links die Pilgerherberge befindet.

Möchte man zum Campingplatz von Sangüesa, so biegt man nicht rechts Richtung Herberge ab, sondern überquert den Kreisverkehr, hält sich dann geradeaus bzw. halblinks in den Paseo Cantolagua und wendet sich am Aragón nach links.

Das Kloster San Juan de la Peña

Bereits im 8. Jh. hatten Einsiedler an diesem abgelegenen Ort gelebt. Das Kloster selbst wurde im Jahr 1025 gegründet. Berühmtester Bauteil ist der freistehende Kreuzgang – der überhängende Fels bildet das Dach. Bemerkenswert sind auch die Bibelszenen auf den Kreuzgangkapitellen, deren naive Darstellungsweise ungeheuer eindringlich ist. 1675 verwüstete ein dreitägiger Brand das Kloster, weshalb man oben auf der San-Indalecio-Ebene ein neues Kloster erbaute. Nur die Klosterkirche, die im Jahr 2004 in ein Informationszentrum umgebaut wurde, blieb erhalten. Die Besichtigungszeiten des alten Klosters ändern sich saisonbedingt mehrmals im Jahr, es ist aber immer sowohl vormittags als auch nachmittags geöffnet (im Winter immer montags geschlossen).

Wer sicher gehen möchte, informiert sich in Jaca im Touristenbüro oder unter www.monanteriosanjuan.com (auch in Deutsch!).

Die Eintrittskarte gilt auch für die Kirche Santa María in Santa Cruz de la Serós.

Von Sangüesa zur Kirche Santa María de Eunate

3

Auf dem Aragonischen Weg zum Camino Francés: Sangüesa – Izco – Monreal – Tiebas – Eunate

Der letzte Streckenabschnitt des Aragonischen Weges verlangt uns als Erstes einen Aufstieg ab. Gemächlich schlendern wir danach im Valle de Ibargoiti Richtung Monreal und streifen bei Tiebas das Pamploneser Becken. Dann wendet sich der Weg hinüber ins Tal des Río Robo. Den krönenden Abschluss bildet die Kirche Eunate.

▶ **Tourencharakter:** Viele schöne Passagen auf Wanderwegen, die Benutzung von Autostraßen hält sich in Grenzen; hinter Sangüesa langgezogener Aufstieg von etwa 350 m; alternative Routenführungen ab Sangüesa und Tiebas.

▶ **Ausgangspunkt:** Sangüesa (761 km).

▶ **Endpunkt:** Eunate (709 km) bzw. Obanos/Puente la Reina (Seite 63).

▶ **Einkehr:** Izco (Herberge), Monreal, Tiebas, Enériz; bei der Route über Campanas zusätzlich an allen Orten am Weg.

▶ **Einkaufsmöglichkeiten:** Monreal, Tiebas, Enériz.

▶ **Pilgerherbergen:** *Izco:* kleine Herberge direkt beim Frontón,

Tel. 948 362 129 (Hospitalera); 8 Plätze, ganzjährig geöffnet, Küche, in der Herberge Lebensmittelverkauf zum dortigen Verbrauch; *Monreal:* schöne Herberge in der Calle de la Corte bei der Kirche, Tel. 948 362 081 (Hospitalera), 20 Plätze, geöffnet April–Oktober, Küche/Aufenthaltsraum; *Tiebas:* einfache Gemeindeherberge in der alten Schule (Eingang über Schulhof), Tel. 948 360 002 (Bar), ca. 15 Plätze, ganzjährig geöffnet, Kaltwasser, Schlüssel am Fensterbrett oder in der Bar, Duschmöglichkeiten im Schwimmbad (unten im Ort).

▶ **Tourist-Info:** 31100 Puente la Reina/ Gares, Plaza Mena, Tel. 948 340 845.

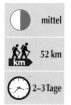

mittel

52 km

2–3 Tage

Der Wegverlauf

Wir verlassen Sangüesa über die Calle Mayor, und werfen, bevor wir den Aragón überqueren noch einen letzten Blick auf die herrliche Fassade von Santa María la Real. Nach der Flussbrücke biegen wir rechts Richtung Liédena ab, passieren eine Tankstelle und erreichen bald auf der linken Straßenseite die Stelle, an der ein kleines Teersträßchen nach Rocaforte abzweigt (¼ Std.). Über dieses Sträßchen verläuft heutzutage die Hauptroute, die auf einsamen Wegen über den Alto de Aibar nach Izco leitet (keine Einkehrmöglichkeit, Brunnen nur im ersten Wegteil). Eine sehr empfehlenswerte Streckenvariante, die eher dem historischen Pilgerweg entspricht, führt an dieser Stelle geradeaus weiter: es ist die

3

offizielle und daher gut durchmarkierte Nebenroute des Jakobs-wegs über die »Foz de Lumbier« (siehe Seite 49).

Wenn wir die Hauptroute wählen, steuern wir also zunächst **Rocaforte** an und passieren dann den Franziskus-Brunnen. Durch ein Tal steigen wir jetzt gemütlich und ziemlich geradeaus an, unsere Piste wird nach einiger Zeit zu einem Feldweg und zuletzt zum Pfad, unterwegs gehen wir noch an zwei Brunnen vorbei. Auf der Hügelreihe rechts von uns ragen Windräder in den Himmel. Sie sind in Navarra heute keine Seltenheit mehr und erzeugen einen nicht unbeträchtlichen Teil der hier verbrauchten Energie. Wenig später kommen wir zu den bescheidenen Überresten des mittelalterlichen Dorfes Santa Cilia, das bereits im 16. Jh. aufgegeben wurde. Unser Pfad steigt nun etwas kräftiger an und bald ist die Passhöhe Alto de Aibar erreicht (2¼ Std.). Hier wandern wir zunächst oberhalb einer kurz vorher unterquerten Teerstraße weiter, um uns dann schließlich nach links von ihr abzuwenden. Zwei Bachläufe liegen jetzt auf unserem Weg, der Barranco Arangoiti und der Barranco Basobar, an dessen rechtem Ufer wir dann ein Weilchen entlangspazieren. Dann endet unser Pfad, an einem Viehrost vorbei gelangen wir links an ein Gatter, durch das

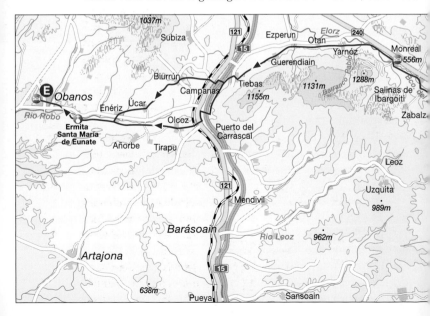

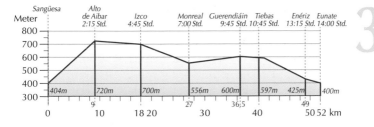

wir das Stiergut **Olatz** betreten. Die Weideflächen sind riesig und die Tiere in aller Regel weit (genug) weg und friedlich. Dennoch sorgt diese ungewöhnliche Wegführung durchaus für etwas Spannung. Mehr als eine halbe Stunde wandern wir jetzt leicht ansteigend über den Grund des Gutshofs. Durch Wald und über Felder gehen wir anschließend nach **Izco** hinab (4³/4 Std.).

Auf und ab nach Monreal und Tiebas

Nachdem wir Izco verlassen haben, endet die Teerstraße und geht in eine Piste über, die erhöht im Tal und eingebettet zwischen Feldern verläuft. Das Gelände ist hier recht hügelig und sorgt immer wieder für kurze An- und Abstiege. Wir passieren das Dörf-

chen **Abínzano** – auch hier geht's kurz aufwärts – und halten uns dann Richtung **Salinas de Ibargoiti**, das unten im Tal zwischen Río Elorz und der N 240 liegt. Wir gehen In den Ort hinein, steuern nach der Überquerung einer Brücke auf die Kirche zu, wenden uns nach links und verlassen Salinas auf einem Feldweg (1¹/2 Std.).

Jetzt ist noch ein Bach mit Hilfe von Trittsteinen zu überwinden,

3

bevor wir durch ein schönes Eichenwäldchen nach einer guten halben Stunde in **Monreal** eintreffen. Vom Sportplatz am Ortsrand gehen wir zur mittelalterlichen Pilgerbrücke und dann hinauf zu Hauptstraße und Herberge (2¼ Std.).

Auf der Hauptstraße und alten Sirga, der Calle del Burgo, laufen wir aufwärts und lassen Monreal hinter uns. Die Teerstraße endet bei den letzten Häusern, wir gehen auf einem Feldweg weiter. Der nun folgende Streckenabschnitt nach Tiebas an den Hängen der Sierra de Alaiz entlang gehört zu den schönsten des Aragonischen Wegs. Durch das hügelige Gelände ist er zwar etwas anstrengend, dafür aber auch sehr kurzweilig. Blumenreiche Wiesen wechseln mit Wäldchen und Gesträuch, dazwischen aufgelassene Steinbrüche und urige Dörfchen.

Herrliche Aussichten ins Tal, auf die Sierra del Perdón und schließlich auch auf das ferne Pamplona tun sich auf. **Yarnóz**, das erste Dorf am Weg, präsentiert sich uns mit einem Wehrturm aus dem 14. Jh. Es folgen **Otano** (4 Std.) und etwa eine halbe Stunde später **Ezperun**, die wir beide oberhalb passieren. In das letzte der vier Dörfer, es heißt **Guerendiain**, machen wir hingegen einen kurzen Abstecher (5 Std., Brunnen). Wenig später sind wir wieder auf unserem wunderschönen Wanderpfad unterwegs. Schließlich wird **Tiebas** sichtbar, das unterhalb eines Kieswerks liegt. Um dorthin zu gelangen, müssen wir erneut etwas aufsteigen. Wir erreichen die Zufahrtsstraße zum Kieswerk, queren auf die Landstraße und steigen links, vorbei an einer Burgruine, hinauf zur Calle Mayor

Das Dörfchen Yarnóz mit seinem Wehrturm

Nebenroute nach Izco

Die abwechslungsreiche Nebenroute über das Vogelparadies der Foz de Lumbier, einer Schlucht des Río Irati, führt auf 22 km nach Izco. Bis vor etwa 100 Jahren war diese Schlucht völlig unzugänglich – die Pilger des Mittelalters überquerten sie auf der inzwischen zerstörten Teufelsbrücke (Puente del Diablo) –, doch für den Bau einer Bahnlinie zwischen 1911 und 1955 wurden zwei Tunnel in den Fels gebrochen und eine Trasse angelegt. Die Bahnlinie ist mittlerweile verschwunden, die Trasse steht dagegen Wanderern, Pilgern und Ausflüglern zur Verfügung.

Die Durchquerung der unbeleuchteten Tunnel ist ein kleiner Nervenkitzel, im Inneren der nur etwa 1 km langen Schlucht kann man dann ein bemerkenswertes Biotop bestaunen: Hier befindet sich eines der größten Geierbrutreviere Spaniens. Unglaublich viele dieser riesigen Vögel kreisen über den senkrechten Felswänden, hauptsächlich sind es Gänsegeier, aber auch andere Arten kommen vor. Übrigens kann auch der ehemalige Verlauf der Puente del Diablo besichtigt werden, links vor dem Eingangstunnel zweigt der Pfad für diesen kurzen Abstecher ab. Die paar Schritte hinauf sind sehr lohnend, der Weg ist aber nur absolut schwindelfreien und trittsicheren Wanderern zu empfehlen, da er oben felsig und ausgesetzt ist (keine Sicherung, Vorsicht bei Nässe, Rucksack unbedingt unten lassen!). Nach der Schluchtdurchquerung kommt man am Städtchen Lumbier (2 Std.) vorbei und strebt dem Loiti-Pass zu. Man passiert die Dörfer Nardues und Aldunate (3½ Std.) und erreicht auf einem verwunschenen kleinen Steig schließlich die Passhöhe (4¼ Std.). Kurz vor Izco schert man wieder auf den Hauptweg ein (5¼ Std., Einkaufs- und Einkehrmöglichkeiten nach Abstechern in Liédena und Lumbier, Einkehr auch in Aldunate).

von Tiebas, auf der wir an Kirche und Bar vorbeikommen. Noch ein Stückchen weiter oben, an einem Platz mit Wegkreuz, befindet sich die alte Dorfschule mit der Herberge (6 Std.).

Nach Enériz und zur herrlichen Eunate

Ab Tiebas hat man wieder die Qual der Wahl, denn zwei Routen bieten sich von hier aus für den Weiterweg an (beide Routen: 9 km, Gehzeit 2½ Std. bis Enériz). Historische Quellen deuten darauf hin, dass die mittelalterlichen Pilger beide Wege nutzten, weshalb sie als Alternativstrecken markiert wurden. Die Wege trennen sich in Tiebas bei der Schule und treffen in Enériz wieder zusammen. Beide leiden anfangs unter ihrer Nähe zu Autobahn und Nationalstraße, sind dann aber später wieder sehr schön.

Heutzutage ist die Route über **Campanas** die beliebtere Variante. Man wendet sich in Tiebas rechts hinunter zur Autobahn, läuft unter dieser hindurch, quert die N 121 und erreicht auf alten Gleisen Campanas. Nach einem Fabrikgebäude schwenkt man nach rechts Richtung **Biurrún** und gewinnt dann hinter einem großen landwirtschaftlichen Betrieb wieder an Höhe, was

3 schöne Rückblicke auf die Sierra de Alaiz ermöglicht. Hinter Biurrún geht es dann schon wieder talwärts. Durch eine hügelige Landschaft mit Feldern und Steineichen erreichen wir **Ucar** (rechts am Ortseingang schöne Rastgelegenheit mit Brunnen) und wenig später **Enériz**.

Bei der alternativen Route über Muruarte de Reta gehen wir an der Schule links und bleiben oben am Hang. Durch ein Neubaugebiet und an einem zweiten Kieswerk vorbei stoßen wir auf einen Feldweg, der ein Stück an der Autobahn entlangführt. Schließlich unterqueren wir Autobahn und Nationalstraße und gehen weiter Richtung **Muruarte de Reta**. Dort kommen wir durch eine Eisenbahnunterführung und an einer kleinen Grünanlage vorbei (Rastplatz, Brunnen oben an der Straße) und wenden uns dann nach links Richtung **Olcoz**. Unmittelbar vor dem Dörfchen biegen wir jedoch rechts ab und wandern nun auf einem sehr schönen, erhöht über einem flachen Tal verlaufenden Weg, der langsam nach unten abfällt. Bevor wir im Tal unten die Landstraße erreichen, biegt rechts ein Pfad ab (Baumreihe!), dem wir folgen. **Enériz** ist nun nicht mehr weit.

Santa María de Eunate

Am Ortsende von Enériz endet der Pflasterweg, und wir befinden uns wieder auf einer Piste, der wir fast bis zur Kirche **Santa María de Eunate** folgen. Kurz vor der Kirche – wir haben sie schon seit einiger Zeit im Blick – biegt nach rechts ein Pfad ab, der uns zu dem bekannten Gotteshaus bringt, das harmonisch zwischen Feldern in die Landschaft eingebettet ist. Aragonischer und Navarrischer Weg treffen sich an diesem würdigen Ort (3¼ Std., Wegbeschreibung nach Obanos und Puente la Reina sowie Einzelheiten zur Kirche Santa María de Eunate ab Seite 63).

Von Saint-Jean-Pied-de-Port nach Pamplona

4

Auf dem Navarrischen Weg durch das Land der Basken:
Saint-Jean-Pied-de-Port – Roncesvalles – Zubiri – Larrasoaña –
Trinidad de Arre – Pamplona

Gleich zu Beginn hält die Navarrische Route ein »Schwerge-
wicht« des Jakobswegs bereit, nämlich den Anstieg auf den Alto
de Lepoeder, historisch auch als Cisa-Pass bekannt. Anschließend genießen wir den Abstieg durch eine sanfte Berglandschaft
und freuen uns auf die turbulente Großstadt Pamplona.

▶ **Tourencharakter:** Lang gezogener, manchmal auch steiler Aufstieg von 1250 Hm auf den Lepoeder-Pass, hauptsächlich auf Asphalt und Fahrwegen; Abstiegswege meist gut, selten steil und/oder schwierig; schöne Routenführung nach Pamplona.

▶ **Ausgangspunkt:** Saint-Jean-Pied-de-Port (799 km).

▶ **Endpunkt:** Pamplona (731 km).

▶ **Markierung:** Jakobswegmarkierungen, rot-weiße Farbmarken des GR 65.

▶ **Einkehr:** Roncesvalles, Burguete, Espinal, Biskarret, Zubiri, Larrasoaña, Villava, Burlada, Pamplona.

▶ **Einkaufsmöglichkeiten:** Burguete, Espinal, Biskarret, Zubiri, Villava, Burlada, Pamplona.

▶ **Pilgerherbergen:** *Saint-Jean-Pied-de-Port:* Herberge in der Rue da la Citadelle 55, Tel. 055937/0509, 18 Plätze, ganzjährig geöffnet, Küche, Aufenthaltsraum, Waschmaschine und Trockner; Privatherberge L'Esprit du Chemin, Rue de la Citadelle 40, Tel. 055937/2468 (Reservierung möglich), 18 Plätze, geöffnet April–September, Mahlzeiten, deutsch-/englischsprachig, sehr herzliche Atmosphäre; Privatherberge Sous un Chemin d'Etoiles, Rue d'Espagne 21, Tel. 055937/2071 (Reservierung möglich), 18 Plätze, ganzjährig geöffnet, Frühstück, Aufenthaltsraum, Waschmaschine; *Roncesvalles:* hallenartiges Gebäude ohne Fenster, 100 Plätze, ganzjährig ab 16 Uhr, Waschmaschine und Trockner, Anmeldung im Pilgerbüro, Pilgerpass, Tel. 948 760 000; *Zubiri:* einfache Herberge in der alten Schule, 46 Plätze in 2 Räumen, ganzjährig geöffnet, Heißwasser solange Vorrat reicht; *Larrasoaña:* Gemeindeherberge, San Nicolás 16, Tel. 948 304 242, 53 Plätze, ganzjährig ab 13 Uhr, Küche; *Trinidad de Arre:* schöne Herberge im Kloster, am Weg, 34 Plätze, ganzjährig ab 15 Uhr, Küche, Aufenthaltsraum, Waschmaschine, Anm. im Pfarrbüro im selben Gebäude, Tel. 948332941; *Pamplona:* Calle Dos de Mayo, 100 Plätze in vielen Räumen, geöffnet 13–21:30 Uhr, Aufenthaltsraum; *weitere Unterkünfte:* Gîte d'étape Ferme Ithurburia (Huntto), am Weg, Tel. 055937/1117, 25 Plätze, Mahlzeiten, Küche, Wäscheservice, ganzjährig geöffnet, englischsprachig, preisgünstig.

▶ **Tourist-Info:** 64220 Saint-Jean-Pied-de-Port, Place de Gaulle 14, Tel. 055937/0357; 31650 Roncesvalles, Antiguo Molino, Tel. 948 760 301; 31001 Pamplona, Eslava 1, Tel. 948 206 540; Pilgerbüro in Saint-Jean-Pied-de-Port, Rue de la Citadelle 39, Informationen zum Weg, Pilgerpass, Unterstützung bei der Zimmersuche, mehrsprachiger herzlicher Empfang, März–November geöffnet.

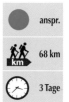

anspr.

68 km

3 Tage

Der Wegverlauf

Bergab durch die Rue da la Citadelle verlassen wir die hübsche Altstadt von Saint-Jean-Pied-de-Port. Wir queren die Nive, durchschreiten die Porte d'Espagne und gehen kurz danach an einer Straßengabel rechts aufwärts in die Rue du Maréchal Harispe. Nach 1½ Stunden recht zügigen Anstiegs haben wir die Ferme Ithurburia in **Huntto** erreicht, die sich als (letzte) Übernachtungsmöglichkeit zur Teilung des Aufstiegswegs eignet. Ein paar Minuten nachdem wir das Gasthaus hinter uns gelassen haben, trennen wir uns dann vorübergehend von der Teerstraße. Ein Abschneider, der links über einen Feldweg in Serpentinen einen grasigen Hang erklimmt, bringt uns rasch aufwärts. Oben wieder am Asphalt angekommen, können wir bei einem Brunnen eine kleine Pause einlegen. Wir bleiben noch weitere 8 km auf dem Teersträßchen, passieren die Statue der Jungfrau von Biakorri (3¼ Std.) und verlassen die Straße schließlich bei einem Steinkreuz (4¼ Std.). Rechts müssen wir jetzt einen – allerdings recht kurzen – Steilhang des Leizar Atheka überwinden. Wenn wir jedoch erst einmal hier oben sind, dann haben wir die größten Anstrengungen hinter uns gebracht. Für ein Weilchen folgen wir nun dem Verlauf der spanisch-französischen Grenze, bevor wir sie endgültig überschreiten. Längs eines Laubwäldchens kommen wir an einem Kilometerstein des Jakobswegs vorbei, wenig später lädt die Rolandsquelle zu einer erfrischenden Rast (4¾ Std.). Gestärkt nehmen wir die letzten Höhenmeter zum Lepoeder-Pass in Angriff, den wir schließlich auf breiten, sanft ansteigenden Wegen um den

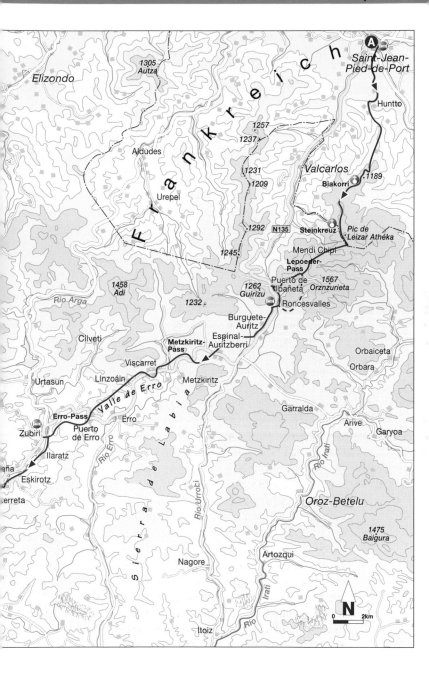

Zweisprachige Schilder bei den Basken

Die baskische Sprache (»euskera«), die uns hauptsächlich in Form von Namen, Flurbezeichnungen und ähnlichem begegnet, ist präindogermanisch, d. h. mit keiner anderen westeuropäischen Sprache verwandt, weswegen sie uns sehr fremdartig erscheint. In den baskischen Territorien, also auch in Navarra, ist für alle offiziellen Verlautbarungen Zweisprachigkeit Pflicht, dem entsprechend findet man auf Straßen- und Ortsschildern neben der spanischen (»castellano«) stets zusätzlich die baskische Variante. Der besseren Lesbarkeit wegen verwenden wir bei Karten und Wegbeschreibung aber immer nur den uns bekannteren bzw. den gebräuchlicheren Namen.

Mendi Chipi herum 6 Stunden nach unserem Aufbruch erreichen. Zwei Varianten des Abstiegs nach **Roncesvalles** stehen nun offen. Die direkte Route führt geradeaus durch sehr schönen Laubwald in etwa einer Stunde hinunter (3,5 km). Der Weg ist anfangs sehr steil, weil er der Falllinie des Hanges folgt, weshalb er bei schlechten Verhältnissen, vor allem bei Nässe, nicht unbedingt zu empfehlen ist. Alternativ wandern wir auf der Asphaltstraße, die oben am Alto de Lepoeder vorbeiführt, nach rechts hinab zum Ibañeta-Pass. Eine moderne Kapelle erinnert dort an das Passkloster San Salvador, das, vor der Abtei von Roncesvalles erbaut, bereits 1071 urkundlich erwähnt wurde. Ein Gedenkstein weist auf Roland hin, den Helden der gleichnamigen Sage. Außerdem gibt es eine Beobachtungsstation für Zugvögel mit einer kleinen Ausstellung. Über eine Wiese quer bergab und dann durch Wald erreicht man schließlich Roncesvalles (5 km, 1½ Std.), das Ziel dieses Tages.

Über Metzkiritz- und Erro-Pass nach Zubiri und Larrasoaña

Beim frühmorgendlichen Aufbruch gehen wir zunächst ein paar Schritte die N 135 hinunter, um dann gleich nach rechts auf einen schön angelegten, guten Waldweg einzubiegen (gotisches Pilgerkreuz ca. 200 m weiter unten an der Straße). Schon nach etwa 20 Minuten ist das Dorf **Burguete** in Sicht, wo sich ein eventuell verpasstes Frühstück nachholen lässt, denn die Bar gleich bei der Kirche hat – Pilgerservice! – bereits ab 7 Uhr geöffnet. Gleich danach verlassen wir die Hauptstraße und damit den Ort nach rechts, was trotz deutlicher Markierung gern übersehen wird. Auf bequemen Wegen wandern wir weiter, mehrere Bachläufe sind zu queren, dazwischen eingestreut zwei kurze Anstiege. Schließlich stoßen wir auf eine Waldpiste, auf der wir

nach rechts abwärts **Espinal** erreichen (knapp 1½ Std.). Das Dorf
zieht sich schlauchförmig an der N 135 entlang, der wir für ein
paar Schritte folgen (Bänke, Brunnen), bevor wir es nach links
auf einer kleinen Teerstraße hinter uns lassen. Wir steuern jetzt
den Metzkiritz-Pass an, der etwa 60 m höher liegt als Espinal.
Oben auf dem Höhenrücken angekommen, gelangen wir auf einen ansprechenden Wiesenweg mit guter Aussicht und später
zur kreuzenden Nationalstraße. Unser Pfad verläuft nun durch
Wald, nie allzu weit von der N 135 entfernt und endet schließ-

*Das Kloster
Trinidad de
Arre*

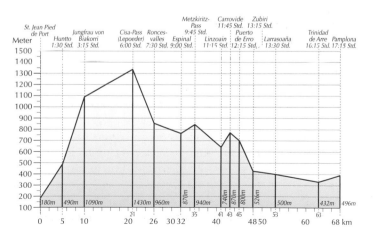

lich an einem Plattenweg, der uns nach **Viscarret** bringt (2¾ Std.). Erneut über die Nationalstraße und dann bogenförmig durch den Ort, geht es an dessen hinterem Ende beim Dorfladen auf einem Plattenweg weiter, der allerdings schon beim Friedhof wieder endet. Wir landen auf einem Fahrweg, der die unvermeidliche N 135 ein weiteres Mal kreuzt und uns dann nach **Linzoain** führt (3¼ Std.). Jetzt heißt es noch einmal ansteigen! Wir lassen das Dorf hinter uns und erreichen eine Pistenkreuzung, an der wir uns geradeaus halten. Etwa 50 m weiter scheren wir nach rechts oben auf einen Pfad aus und wandern anschließend wieder auf auf Waldwegen weiter. Schließlich kommen wir hinab zum Erro-Pass, wo wir die N 135 überqueren. Bei einem Steinhaus, der Venta del Puerto, das früher eine Herberge war und heute als Kuhstall dient, wird der anfangs so gemächliche Abstieg steiler und steiler. Hier ist das schwierigste Wegstück erreicht. Tief eingegraben verläuft der Steig inzwischen und ähnelt bei oder nach einem stärkeren Regen eher einem Bachbett. Endlich ist die mittelalterliche Brücke von **Zubiri** erreicht (5¾ Std.). Diese hat nicht nur dem Ort zu seinem Namen verholfen – Zubiri ist baskisch und bedeutet »Ort an der Brücke« –, sondern entfaltet auch noch wundertätige Wirkung:

Stierkampf-arena von Pamplona

4

Abtei in Roncesvalles

Die Abtei wurde im 12. Jh. gegründet und sorgte seitdem für die Versorgung der Pilger. Heute kann die Abtei teilweise besichtigt werden, ebenso wie die gotische Stiftskirche (13. Jh.). Ältestes Bauwerk und als einziges der ursprünglichen Anlage erhalten ist die Heilig-Geist-Kapelle, als »Silo de Carlomagno« be-kannt und der Legende nach Grabstätte der gefallenen Helden der Rolandssage. Tatsächlich diente sie als Beinhaus für die im Hospiz gestorbenen Pilger.

Jeden Abend findet eine Pilgermesse statt, die Anfangszeit wird bei der Anmeldung im Pilgerbüro mitgeteilt.

Vieh, das dreimal den Mittelpfeiler umkreist, soll vor Tollwut gefeit sein.

Über die Brücke kommt man in den Ort und zur Herberge (vor bis zur N 135 und dort rechts). Andernfalls geht es gleich auf unserer Route weiter, die auf ein Magnesit-Werk zusteuert, das zu durchqueren ist. Trotz großer Abraumhalden ist der Ausblick ins Tal und auf die umliegenden Berge vom Werksgelände recht schön. Hinter diesem beginnt ein gepflasterter Weg, der uns ins Dorf **Ilaratz** führt. 10 Minuten später stehen wir dann bereits im kleinen Ort **Eskirotz** (Brunnen), von wo aus es nur noch 2 km nach Larrasoaña sind. Ein Wanderweg bringt uns in diese An-

Aufstieg nach Roncesvalles

siedlung, die bereits im ältesten bekannten Pilgerführer – verfasst im 12. Jh. vom französischen Geistlichen Aymeric – erwähnt wird. Genau wie Zubiri liegt auch **Larrasoaña** jenseits des Río Arga und ist über eine schöne gotische Brücke zu erreichen (6 Std., Herberge an der Hauptstraße).

Nach Trinidad de Arre und Pamplona

Der Jakobsweg setzt sich direkt bei der Brücke in einem kleinen Teersträßchen fort, auf dem wir hinauf nach **Akerreta** wandern. Dort oben beginnt ein reizender Wanderweg, der über Pferdeweiden und an der Arga entlang ins nächste Dorf **Zuriain** führt (1 Std.). Nun heißt es, hoch zur N 135 zu gehen, mit der wir für knapp 10 Minuten vorlieb nehmen müssen, bevor wir sie nach links auf der Landstraße nach Ilurdotz wieder verlassen können. Alsbald wechseln wir von der Straße auf einen Kiesweg und schlendern im hier engen Tal oben am Steilhang entlang. In **Irotz** (1½ Std., Brunnen, ansprechender Rastplatz unten am Fluss bei der Brücke) kommen wir zurück zur Nationalstraße und gehen zunächst parallel zu ihr auf einem kleinen Pfad, kreuzen sie dann aber kurz nachdem wir das untere Ende des Ortes **Zabaldika** passiert haben.

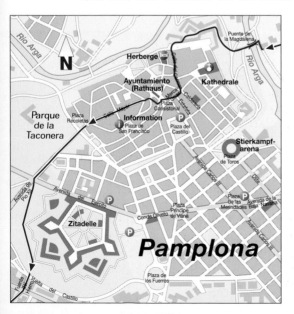

Wir halten auf einen Straßenrastplatz vor uns zu und bezwingen dort auf steilem Wege rasch die Böschung, um dann erhöht über dem Tal wandernd die schöne Aussicht zu genießen. In angenehmer Distanz kommen wir an den ersten Industrieansiedlungen der nahenden Großstadt vorbei. Schließlich unterqueren wir eine stark befahrene Straße und steigen auf der anderen Seite recht steil ein

Die Altstadt von Pamplona

Die Kathedrale Pamplonas, im reinsten gotischen Stil gehalten, kann nur über das Diözesanmuseum besichtigt werden (Eintritt). Der schöne Taconera-Park lohnt ebenfalls einen Besuch. Am stimmungsvollsten ist es jedoch, sich einfach in den engen Gassen der Altstadt treiben zu lassen, etwa durch die »Estafeta«, den Schauplatz der wilden Stierhatz zur Arena anlässlich der weltbekannten Sanfermines. Während dieser Fiesta (6.–14.Juli) bleibt die Pilgerherberge übrigens geschlossen, die Hotels sind lange im Voraus ausgebucht und ohnehin fast unbezahlbar. Man sollte also entsprechend planen und die Fiesta mit der ausgelassenen Stimmung in der ganzen Stadt am besten auf der Durchreise genießen (Gepäckaufbewahrung im Busbahnhof möglich).

kurzes Stück bergan. Am höchsten Punkt ist **Trinidad de Arre** mit nur noch 900 m angegeben. Bald sind wir unten am Río Ulzama, der hier malerisch von einer mittelalterlichen, sechsbogigen Brücke überspannt wird. Auf der anderen Seite erwarten uns Kloster und Herberge (2¾ Std.).

Ein kurzer Spaziergang in die Altstadt von Pamplona

Hinter der Brücke biegen wir rechts ab und laufen auf der Calle Mayor – es ist die alte Sirga – durch den Ort **Villava**. Immer geradeaus passieren wir wenig später die Gebäude der Besta-Jira und der ehemaligen Agrartechnikschule mit ihren herrlichen, bunt geschmückten Fassaden und erreichen nahtlos den nächsten Vorort **Burlada**. Kurz vor dessen Ende biegen wir bei einer Autowerkstatt rechts ab. Hinter einer verkehrsreichen Straße gelangen wir durch Parkanlagen zum Río Arga und zur romanischen Magdalenenbrücke, auf der wir den Fluss überqueren. Bei einer Ampel kreuzen wir eine stark befahrene Straße und gehen entlang der Stadtmauern auf einem Fußweg weiter, bis wir schließlich die Altstadt von **Pamplona** durch das Stadttor »Portal de Francia« erreichen. Geradeaus spazieren wir in die Calle del Carmen. In der ersten Querstraße rechts, der Calle Dos de Mayo, befindet sich die Pilgerherberge (1 Std.).

5 Von Pamplona nach Estella

Über die Brücke der Königin: Pamplona – Puerto del Perdón – Eunate – Puente la Reina – Estella

Auf schönen Wegen verlassen wir die Stadt der Stiere und nehmen den Aufstieg auf die Sierra del Perdón in Angriff. Bei der Kirche Eunate treffen wir schließlich mit den Pilgern des Aragonischen Weges zusammen und wandern gemeinsam über Puente la Reina in die alte navarrische Königsstadt Estella.

mittel

47 km

2 Tage

▶**Tourencharakter:** Größtenteils Pisten und Fußwege, gelegentlich auch Asphaltstraßen; etwas mühsamer, schattenloser Aufstieg auf den Puerto del Perdón.

▶**Ausgangspunkt:** Pamplona (731 km).

▶**Endpunkt:** Estella (684 km).

▶**Einkehr:** Cizur Menor, Uterga, Muruzabal, Obanos, Puente la Reina, Mañeru, Cirauqui, Lorca, Villatuerta, Estella.

▶**Einkaufsmöglichkeiten:** Obanos, Puente la Reina, Cirauqui, Lorca, Villatuerta, Estella.

▶**Pilgerherbergen:** *Cizur Menor:* Private Herberge von Maribel Roncal, rechts an der Hauptstraße bei der Abzweigung nach Cizur Mayor, Tel. 948 183 885, 40 Plätze, ganzjährig geöffnet von 13–22 Uhr, Küche, schöner Garten, sehr nette Herbergsmutter; Herberge der Malteser, links am Ortseingang bei der Kirche, Tel. 600 386 981, 27 Plätze, Juni–September geöffnet, Küche; *Uterga:* Private Herberge Camino del Perdón, Calle Mayor, Tel. 948 344 661, 16 Plätze, zusätzlich Doppelzimmer, ganzjährig geöffnet, Bar/Restaurant; einfache Gemeindeherberge, Calle Mayor, 5 Plätze, Küche; *Obanos:* schöne Privatherberge, am Hauptplatz gegenüber Spielplatz, Tel. 676 560 927, 36 Plätze, März–November von 13:30–22 Uhr geöffnet, Küche (nur Mikrowelle), offener Kamin;

Puente la Reina: Herberge der Padres Reparadores, am Weg, 100 Plätze, ganzjährig geöffnet von 12–23 Uhr, Küche; schöne Privatherberge Santiago Apóstol, hinter der Brücke geradeaus aufwärts, Tel. 948 340 220, 88 Plätze, Ostern–Oktober von 12–22:30 Uhr geöffnet, Bar/Restaurant, Waschmaschine und Trockner, Terrasse; Pilgerherberge im Hotel Jakue, beim Ortseingang am Weg, Tel. 948 341 017, in den Sommermonaten geöffnet, Waschmaschine und Trockner;

Villatuerta: Privatherberge in der Calle Mayor 4b, Tel. 948 640 083 (Reservierung möglich), 30 Plätze, ganzjährig geöffnet, Mahlzeiten, Waschmaschine; *Estella:* Gemeindeherberge, Calle Rúa 50, Tel. 948 550 300, ganzjährig von 13–22 Uhr geöffnet, 114 Plätze, Küche, Waschmaschine, Frühstück, im Sommer auch Plätze in der Sporthalle von Ayegui;

weitere Unterkünfte: Mañeru: Casa Isabel, kleine Pension, Tel. 948 340 283; *Estella:* Campingplatz Lizarra, Herbergsunterbringung in Bungalows, Tel. 948 551 733, 300 Plätze, vor Estella ausgeschildert.

▶**Tourist-Info:** 31100 Puente la Reina, Plaza Mena, Tel. 948 340 845; 31200 Estella, Calle San Nicolás 1, beim Palast der Könige, Tel. 948 556 301.

5

Der Wegverlauf

Aus dem Gewirr der Altstadtgassen leitet uns die gute Wegmarkierung zu Pamplonas Stadtgrenze. Von der Pilgerherberge aus geht's zunächst zurück in die Calle del Carmen. Wir schlendern am Rathaus vorbei und verlassen dann die Altstadt über die Calle Mayor. Entlang des Taconera-Parks folgen wir einer Hauptverkehrsstraße stadtauswärts bis zur Zitadelle und biegen dort in die Grünanlagen ein. Ein Wiesenweg (Markierung rechts an einem Baum) leitet dann in die Calle Fuente del Hierro, auf der wir den Campus der Universität von Navarra erreichen. Durch die schöne Anlage – im ausgeschilderten Zentralgebäude kann man sich den Pilgerpass stempeln lassen – steuern wir auf das auf einem Hügel vor uns liegende **Cizur Menor** zu. Ein Gehsteig neben der Landstraße bringt uns schließlich komfortabel in den Ort (1 1/2 Std., Herbergen am Weg). Am Ortsausgang biegen wir beim Frontón (Mauer für das Pelota-Spiel) rechts ab und gelangen auf eine Straße, die uns an einem Neubaugebiet vorbeiführt. Wenig später wechseln wir auf einen nach links abzweigenden Feldweg, auf dem wir immer geradeaus bis zu einem kleinen Stausee wandern. Hier kreuzen sich nun mehrere Fahrwege, auf die nicht allzu guten Markierungen an einem Baum ist deshalb sorgfältig zu achten.

Wie angezeigt überqueren wir also die erste Piste und halten uns dann links auf der zweiten Piste bergauf. Jetzt ist es nicht mehr weit bis **Zariquiegui**, wo wir am Brunnen bei der Kirche unsere Wasservorräte auffüllen können (2 1/2 Std.). Hinter dem Ort gehen wir zunächst auf dem Schotterweg weiter, bis nach links ein Pfad die Serpentinen abschneidet und uns durch niedriges Gestrüpp steil zur Passhöhe des **Puerto del Perdón** hinaufbringt (780 m, 3 1/4 Std.). Das Surren der großen Rotoren empfängt uns oben, unablässig angetrieben von kräftigen Winden. Letztere verleiden uns auch eine längere Rast, und so erfreuen wir uns an dem von Freunden des Jakobswegs und der Windparkgesellschaft hier aufgestellten Kunstwerk und ziehen, genau wie die

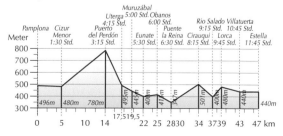

dort dargestellten Personen, weiter unseres Weges. Steil und steinig geht es zunächst bergab, aber bereits nach einer Viertelstunde wird der Weg durch den mit Steineichen bestandenen, sonnigen Hang flacher und angenehmer. Auf Feldwegen wandern wir weiter, kommen an einer im Schutz einer Baumgruppe aufgestellten, schönen Marienstatue vorbei und treffen gleich darauf in **Uterga** ein (4¹⁄₄ Std., Brunnen). Wir durchqueren das Dorf, kurz vor dem Ortsende führt uns dann links ein breiter Fahrweg in ein Bachtal hinunter. Ein idyllischer Pfad zwischen Feldern und Hainen nimmt uns auf, und wir wandern beschaulich nach **Muruzábal** (5 Std.). Hier erreichen wir nun, bei einem Haus mit einer auffälligen Fassadenmalerei der Kirche Santa María de Eunate, die Abzweigung dorthin. Während man geradeaus nach Obanos kommt (diese Abkürzung sollte man aber nur im Notfall nehmen!), biegen wir Richtung Kirche links zum Dorfplatz ab. Vorbei an Dorfkirche und Spielplatz verlassen wir den Ort und folgen weiter einem Teersträßchen. An der ersten Gabelung halten wir uns rechts, passieren eine von weitem sichtbare, weißgetünchte Kapelle und gehen immer geradeaus weiter bis zur

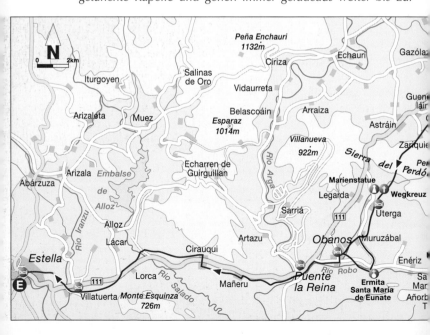

5

Nationalstraße N 601. Diese überqueren wir, gleich danach steht die Kirche **Santa María de Eunate** vor uns (5 ½ Std.). Ihre romanische Schlichtheit und die Ruhe, die sie ausstrahlt, laden zum Verweilen und zur Meditation ein. Die Ursprünge der Kirche liegen im Dunkeln, doch Grabfunde in der Umgebung lassen vermuten, dass es sich um eine Friedhofskirche handelt. Wegen ihrer ungewöhnlichen achteckigen Bauform, die an die Grabeskirche in Jerusalem erinnert, wird die Kirche mitunter auch den Templern zugeschrieben. Dies ist jedoch reine Spekulation und durch keine historischen Quellen belegt. Um von hier aus nach **Obanos** zu gelangen, nehmen wir zunächst den Pfad, der rechts von der Kirche weg parallel zur Nationalstraße über ein Hügelchen verläuft (Rastplatz), überqueren dann erneut die Straße und steigen kurz und kräftig in den Ort hinauf (6 Std.). Am schönen, großzügig angelegten Hauptplatz, wo sich auch die Pilgerherberge befindet, gehen wir durch das Tor neben der Kirche und verlassen Obanos halblinks. Einige Minuten später sind wir erneut an der Nationalstraße, ein Feldweg auf der linken Straßenseite bringt uns in das nahe **Puente la Reina** (6 ½ Std.).

Pilgerrast in Cirauqui

Gleich am Ortseingang links an der N 111 befindet sich das Hotel Jakue mit Herbergsplätzen, einige Schritte weiter bei der Kirche Iglesia del Crucifijo folgt die Pilgerherberge der Padres Reparadores, ebenfalls links an der Straße. Hier biegt auch der Jakobsweg zur Kirche hin ein, knickt dann nach rechts ab und führt entlang der Calle Mayor schnurgerade durch den Ort bis zur mittelalterlichen Brücke. Rechter Hand passieren wir die Santiagokirche mit ihrer bekannten Darstellung des Heiligen als Pilger (Pilgermesse im Sommer um 20 Uhr, im Winter um 19 Uhr), etwas weiter hinten links den Marktplatz mit Stadtverwaltung (ayuntamiento) und Tourist-Info. Eine weitere Herberge liegt jenseits des Río Arga oberhalb des Ortes. Die berühmte »Königinnenbrücke«, die dem Ort den Namen gab, gehört sicher zu den meist fotografierten Bauwerken des Wegs. Sie wurde im 11. Jh. aufgrund der stark gestiegenen Zahl von Pilgern errichtet. Welcher Monarchin wir allerdings diese Stiftung verdanken, kann heute nur noch vermutet werden.

Von Puente la Reina nach Estella

Zum folgenden Wegstück vorab eine Anmerkung: Im Sommer 2004 fanden dort aufwändige Straßenbaumaßnahmen statt. Ob und wie die bisherigen schönen Wege das überleben werden, war bei Drucklegung des Buches noch unklar. Auf Änderungen des Wegverlaufs sollte man deshalb gefasst sein.

Nach der Brücke wenden wir uns nach links, überqueren die N 111 und gehen auf einer Teerstraße weiter, die wir nach ein paar Minuten auf einem Feldweg links verlassen. Gelbe Holzpflöcke weisen uns nun den Weg. Malerisch schlängelt sich unser Pfad zunächst durch Hügelland, bis er schließlich die Trasse

Die Königsstadt Estella

Estella wurde im 11. Jh. von Sancho Ramírez als Frankensiedlung gegründet und mit zahlreichen Privilegien, den so genannten »fueros«, ausgestattet. Navarresen war die Ansiedlung anfangs verboten, nur französische Einwanderer durften sich hier niederlassen. Ziel dieser Politik war es, Wirtschaft und Handwerk in Gang zu bringen und die unterentwickelten Regionen Navarras zu bevölkern. Sehr sehenswert ist die Kirche San Pedro de la Rúa sowie der Königspalast aus dem 12. Jh. direkt gegenüber. Er ist das älteste nichtsakrale Bauwerk Navarras und enthält heute ein Museum mit wechselnden Ausstellungen (Eintritt frei).

Die Kirche kann leider nur kurz vor der Messe besichtigt werden, sonst ist sie verschlossen (beide Gebäude sowie die Touristeninformation an der Rúa stadteinwärts von der Herberge).

der neu zu bauenden Straße erreicht und an dieser entlang nach *Passhöhe*
Mañeru führt (1 Std.). Beim Durchqueren des Dorfes – nach einer *des Puerto*
kleinen Steinbrücke kommen wir an einem netten Rastplatz vor- *del Perdón*
bei – bewundern wir die schönen Steinwappen an den Häusern.
Kurz nachdem wir Mañeru hinter uns gelassen haben, eröffnet
sich uns der wunderbare Ausblick auf **Cirauqui**, das wir nun direkt ansteuern. Wir wandern auf breiten Pisten zwischen Feldern,
einmal wechseln wir kurz auf einen schmalen, von Mauern,
Hecken und Olivenbäumen gesäumten Fußpfad. Steil führt unser
Weg dann hinauf durch die engen Gassen des Dorfes zur Kirche
San Román, mit einem schönen Portal aus dem 13. Jh. Der Camino führt durch eine überbaute Passage (1 ¼ Std., Stempelstelle), anschließend geht es wieder den Berg hinunter und hinaus aus dem Ort. Wir wandern auf einer alten Pflasterstraße
weiter, der, genau wie der Brücke, die wir jetzt gleich erreichen,
römischer Ursprung nachgesagt wird. Auf der anderen Talseite
steigen wir dann hinauf zur Nationalstraße. Wir überqueren sie
und setzen unseren Weg auf einer links aufwärts führenden
Staubpiste fort. Ständig auf und ab geht's nun weiter auf Pisten
und alten Pflasterwegen. An einem Teersträßchen wenden wir
uns rechts durch einen Weiler, kurz darauf leitet links ein Gras-
weg zu einer alten Brücke über den Río Salado (»gesalzener
Fluss«). Mittelalterliche Pilger wurden vor dessen Wasser ge-
warnt, man glaubte, es wäre vergiftet.

Pilgerherberge in Obanos

Wenn sich im Sommer die Herbergen füllen, ist eine Übernachtung in Obanos oft sinnvoller als in Puente la Reina. Die private Pilgerherberge dort ist sehr angenehm und hat oft noch Betten frei, wenn in Puente la Reina schon Fußbodenplätze vergeben werden.

Wir kehren zurück zur N 111 und steigen bald links von ihr steil hinauf nach **Lorca** (3 1/4 Std., Brunnen). Auf der Calle Mayor passieren wir die Kirche (Stempelstelle) und werden dann wieder zur Nationalstraße geleitet, die wir aber bald nach links verlassen. Auf einem Pfad wandern wir nun parallel zu ihr, etwas später führt uns dann ein Feldweg endgültig links von der Straße weg. Die neue Umgehungsstraße von Estella zwingt uns jetzt noch zu einigen Schlenkern, wir müssen eine Unterführung ansteuern, um schließlich nur wenige Minuten nach ihr **Villatuerta** zu erreichen (4 1/4 Std., Pilgerherberge am Weg). Am Ortsende überqueren wir eine Landstraße und gehen auf Feldwegen weiter. Wir nähern uns wieder der N 111, passieren die **Ermita San Miguel** samt ihres schönen Rastplatzes im Olivenhain und kreuzen 2 Minuten später die Straße. Wir nehmen auf der anderen Seite einen kleinen Pfad und bei der nächsten Einmündung den Feldweg nach links. Unser Etappenziel **Estella** ist jetzt nicht mehr weit. Auf einem steilen Bogenbrücklein überqueren wir den Río Ega (hier Ausschilderung des Campingplatzes Lizarra) und wandern auf der alten Pilgerstraße »Rúa« stadteinwärts (5 1/4 Std., Herberge links am Weg).

Auf dem Weg nach Cirauqui

Von Estella nach Logroño

Ins Weinland Rioja: Estella – Villamayor de Monjardín – Los Arcos – Torres del Río – Viana – Logroño

6

Dieser Wegabschnitt führt uns hinunter ins fruchtbare Becken des Flusses Ebro, wo die Grenze zur Rioja verläuft. Wir wandern durch sanftes Hügelland, das von Feldern dominiert wird, aber dennoch genügend Abwechslung zu bieten hat. Etappenziel ist Logroño, die Hauptstadt der bekanntesten Weinregion Spaniens.

▶ **Tourencharakter:** Vorwiegend breite, gut begehbare Pisten; mäßige, aber häufige Steigungen.
▶ **Ausgangspunkt:** Estella (684 km).
▶ **Endpunkt:** Logroño (633 km).
▶ **Einkehr:** Ayegui, Villamayor de Monjardín, Los Arcos, Torres del Río, Viana, Logroño.
▶ **Einkaufsmöglichkeiten:** Ayegui, Los Arcos, Torres del Río, Viana, Logroño.
▶ **Pilgerherbergen:** *Villamayor:* von Niederländern geführte Herberge, oberhalb des Dorfplatzes, Tel. 616 841 632, 26 Plätze, geöffnet April–Oktober von 16–22:30 Uhr, Mahlzeiten; *Los Arcos:* Gemeindeherberge geführt von belgischen Freiwilligen, bei der Casa de Cultura, Tel. 948 640 230, 72 Plätze, geöffnet März–Oktober von 12–22:30 Uhr, Küche, Waschmaschine; Privatherberge der Panadería Romero, am Weg, Calle Mayor 19, Tel. 948 640 083 (Reservierung möglich), 22 Plätze, ganzjährig von 6–22 Uhr, Küche, Waschmaschine, Mahlzeiten, gute Backwaren im Laden; Privatherberge Casa Alberdi, am Ortsausgang bei der Gemeindeherberge, Tel. 948 640 764 (Reservierung möglich), 20 Plätze, ganzjährig von 12–22:30 Uhr, Speiseraum mit Kochplatten; Privatherberge La Fuente, am Weg, Traversia del Estanco 5, Tel. 948 640 797, 40 Plätze, ganzjährig geöffnet von 10–22:30 Uhr, Küche, rustikaler Aufenthaltsraum; *Torres del Río:* Albergue San Andres, Anmeldung in der Bar Pata de Oca, Tel. 948 648 051, 32 Plätze, ganzjährig geöffnet; Casa Mari, Calle Casas Nuevas 13, Tel. 948 648 409, 21 Plätze, ganzjährig geöffnet von 10–22:30 Uhr, Küche, Waschmaschine, Terrasse; *Viana:* Albergería Andrés Muñoz, Calle San Pedro, Tel. 948 645 530, 54 Plätze, ganzjährig geöffnet von 12–22 Uhr, Küche, schöner Aufenthaltsraum; *Logroño:* sehr gute Herberge der Stadt, am Weg, Rua Vieja 32, Tel. 941 260 234, 88 Plätze, ganzjährig ab Nachmittag geöffnet, Küche, Waschmaschine und Trockner, Internet, gut geführt.
▶ **Tourist-Info:** 31210 Los Arcos, Fueros 1, Tel. 948 441 142; 31230 Viana, Plaza de los Fueros, Tel. 948 446 302; 26006 Logroño, Paseo del Espolón 1, Tel. 931 291 260.

○ leicht

🚶 51 km

🕐 2 Tage

Der Wegverlauf

Wir folgen der alten Pilgerstraße am südlichen Flussufer bis zur großen Ausfallstraße Calle Carlos VII und biegen dann bei einer AVIA-Tankstelle rechts auf einen Fahrweg ab. Stetig ansteigend erreichen wir **Ayegui**, wo wir zwischen zwei Wegalternativen

6

wählen können: Geradeaus kommt man direkt nach Azqueta, nach links nimmt man einen kleinen Umweg über das Kloster von **Irache** auf der anderen Seite der N 111 in Kauf. Empfehlenswert ist aber durchaus Letzteres, denn man passiert auch die Weinquelle der Bodegas Irache, die ein besonderes Kuriosum des Jakobswegs darstellt. Die Quelle befindet sich kurz vor dem Kloster und jeder Pilger kann sich dort kostenlos Wein zur Stärkung zapfen (45 Min., es gibt auch Wasser). Ein paar Minuten nach dem Kloster, stoßen wir erneut auf eine Wegteilung.

Geradeaus führt die Route über Luquín nach Los Arcos, nach rechts zweigt der Weg über den Maurenbrunnen und Villamayor de Monjardín ab. Wir wählen die zweite Variante und kehren zur N 111 zurück, die wir wieder überqueren. Danach laufen

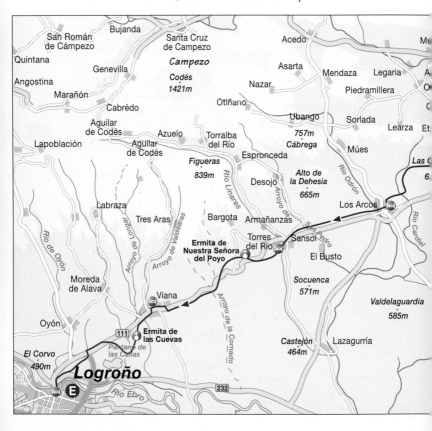

wir zuerst durch ein Wohnviertel, anschließend bringen uns Feld- und Waldwege nach **Azqueta** (2 Std., Brunnen).

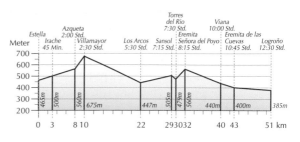

Nachdem wir den kleinen Ort verlassen haben, taucht bald das schöne Gebäude des Maurenbrunnens mit seinen zwei Spitzbögen in der Landschaft auf, 10 Minuten später ist auch schon **Villamayor de Monjardín** erreicht (2½ Std., Achtung, bis Los Arcos kein Wasser mehr!). Wir passieren den Kirchplatz, verlassen den Ort an seiner Westseite und setzen unseren Weg auf diversen Kiespisten nach **Los Arcos** fort (5½ Std.). Dort befindet sich links am Ortseingang ein Informationszentrum für Pilger mit Stadtplan und Verkaufsautomaten. Durch die Calle Mayor gelangen wir in den Ortskern, wobei wir an zwei der privaten Pilgerherbergen vorbeikommen. Am Kirchplatz (Pilgermesse in der Kirche Santa María werktags um 20 Uhr, sonntags um 19 Uhr) wenden wir uns rechts, gehen durch das Stadttor hinaus zur Durchgangsstraße und über die Flussbrücke. Hier liegen rechter Hand die beiden anderen Herbergen, geradeaus führt der Camino hinaus aus Los Arcos.

In die Rioja

Wir verlassen Los Arcos auf einer breiten Piste, später wechseln wir nach rechts auf einen Feldweg. Ein Landsträßchen bringt uns schließlich nach **Sansol** (1¾ Std.). Die gelben Markierungen leiten uns durch das Dorf, auf einen Gras-

6 weg hinab ins Tal zu einer Unterführung und anschließend rechts über eine Brücke wieder steil hinauf nach **Torres del Río** (2 Std., Brunnen). Hier sollte man unbedingt die schlichte Kirche Santo Sepulcro mit ihrer wunderbaren Kuppel besichtigen (12. Jh., Stempel, Spende). Gegenüber lädt die Bar La Pata de Oca zur Einkehr ein. Dort meldet man sich auch für die Herberge an, die sich weiter oben links in einer Querstraße befindet. Weiter bergan gehend durchqueren wir den Ort. Bald darauf erreichen wir die Nationalstraße und laufen ein Stück an ihr entlang, bevor wir sie schließlich kreuzen und rechts auf einen Pfad zur Kapelle Nuestra Señora del Poyo abbiegen.

Anschließend kommen wir zurück zur N 111, verlassen sie aber schon kurz darauf an einer Kurve erneut. Bei einer kleinen Asphaltstraße halten wir uns zunächst links, um dann gleich rechts auf einem Fahrweg weiterzugehen. Viele Querwege kreuzen hier unsere Route, aber die guten Markierungen leiten uns zuverlässig.

Botanisch Interessierte werden auf diesem Wegabschnitt im Frühsommer ihre Freude haben, denn hier wachsen seltene Orchideen und andere rare Blumen in einer erstaunlichen Menge direkt am Wegesrand. Eine halbe Stunde bleibt uns die N 111 nun erspart, dann treffen wir wieder auf die Straße und müssen bis Viana mit ihr vorlieb nehmen. Teilweise auf Feldwegen neben der Straße, teilweise auch direkt auf der Fahrbahn erreichen wir

Regen-stimmung in Navarra

Ornithologisches Observatorium

6

Hinter der Ermita de las Cuevas ist das ornithologische Observatorium des Stausees Embalse de las Cañas gut ausgeschildert. Vogelfreunde können sich in einer Ausstellung informieren und Ferngläser zur Beobachtung ausleihen (knapp 500 m von der Abzweigung, ganzjährig geöffnet, über Mittag geschlossen).

die ersten Häuser des Städtchens **Viana** (4¹⁄₂ Std.). Beim Rastplatz mit Brunnen und Wandgemälde halten wir uns links und gehen in die Stadt hinein. Gelbe Pfeile leiten ins Zentrum zur Kirche Santa María und weiter auf der Hauptstraße bis zu den Ruinen der Kirche San Pedro (hier links zur Pilgerherberge). Hinter den letzten Gärten von Viana sind wir bald wieder an der Nationalstraße angekommen. Wir wechseln die Straßenseite, wandern ein kurzes Stück parallel zur N 111 und wenden uns dann von ihr ab, um einen kleinen Abstecher zur Ermita María de las Cuevas zu machen (5¹⁄₄ Std., Brunnen und Rastplatz). Danach kehren wir zurück zur Nationalstraße, wo wir auf der rechten Seite auf einem leider nur kurzen Pfad parallel zu ihr durch ein Kiefernwäldchen wandern. Wieder gehen wir an der Straße weiter, passieren eine Papierfabrik und erreichen schließlich einen breiten, rot geteerten und für Pilger teilweise neu angelegten Weg, der uns jenseits der N 111 auf die nördliche Seite des Hügels Cerro Cantabria und von dort schließlich hinab ins Ebrotal führt.

Landschaft zwischen Torres del Río und Viana

6

*Geschmück-
tes Kapitell,
Santo
Sepulcro in
Torres del Río*

Logroño liegt nun vor uns. Einen kurzen Halt legen wir beim Haus von Doña Felisa ein, das rechter Hand eines der ersten Wohnhäuser am Stadtrand ist. Die freundliche alte Dame stempelt den Pilgerausweis der vorbeiziehenden Wanderer und verkauft Andenken. Unser Weg führt uns weiter abwärts zu einer breiten Einfallstraße entlang des Flusses, den wir wenig später auf der Puente de Piedra überqueren. Nach rechts gelangen wir auf der Rúa Vieja in Richtung Innenstadt zur Pilgerherberge (7 Std.). Logroño ist mit seinen 120000 Einwohnern das wirtschaftliche Zentrum der Weinanbauregion Rioja. Historische Monumente gibt es wenige, aber die geschäftige Handels- und Universitätsstadt mit ihrem regen Nachtleben hat dennoch einen gewissen Charme. Südlich von hier soll übrigens beim Ort Clavijo der Apostel Jakobus im Jahre 844, also kurz nach der Entdeckung seines Grabes in Santiago, eine für die Christen bereits verlorene Schlacht auf wundersame Weise zum Sieg gewendet haben.

Santa María in Viana

In Viana lohnt die im gotischen Stil erbaute Kirche Santa María einen Besuch. Vor ihrem Renaissance-Portal befindet sich eine Marmorplatte zum Gedenken an Cesare Borgia, der im Alter von 32 Jahren in der Nähe von Viana auf einem Schlachtfeld gefallen ist.

Der berüchtigte Renaissancefürst wurde zunächst standesgemäß in einem prachtvollen Mausoleum in der Kirche beigesetzt, später wurde es jedoch abgerissen und seine Gebeine wurden sang- und klanglos im Atrium begraben.

Über Nájera nach Santo Domingo de la Calzada

7

Zur Kirche mit dem Hühnerkäfig: Logroño – Navarrete – Nájera – Azofra – Cirueña – Santo Domingo

Die reichen Böden der Rioja werden landwirtschaftlich intensiv genutzt, deshalb säumen Äcker, Weinberge und Haine unseren Weg. Wie einst sind Navarrete, Nájera und Santo Domingo unsere Stationen auf dem Pilgerweg. Im Mittelalter waren es dank des Camino bedeutende Orte, heute sind es beschauliche Kleinstädte.

▶ **Tourencharakter:** Gut begehbare Feldwege und Pisten, vor/nach Navarrete nahe der stark frequentierten N 120; moderate An- und Abstiege.

▶ **Ausgangspunkt:** Logroño (633 km).

▶ **Endpunkt:** Santo Domingo de la Calzada (583 km).

▶ **Einkehr:** Navarrete, Ventosa (Abstecher), Nájera, Azofra, Santo Domingo.

▶ **Einkaufsmöglichkeiten:** Navarrete, Ventosa (Abstecher), Nájera, Azofra, Santo Domingo.

▶ **Pilgerherbergen:** *Navarrete:* Gemeindeherberge, am Weg, Calle San Juan 2, Tel. 941 440 776, 40 Plätze, ganzjährig ab Nachmittag geöffnet, Küche, Waschmaschine; *Ventosa:* Herberge der Pilgervereinigung San Saturnino, Calle Medio Pereda 9, Tel. 941 441 899, 26 Plätze, ganzjährig geöffnet, Küche, Waschmaschine und Trockner, Aufenthaltsraum mit Kamin; *Nájera:* Gemeindeherberge im schönen alten Klostergebäude, Plaza

de Santa María, Tel. 941 362 121, 60 Plätze, ganzjährig geöffnet, Küche, in der Hauptsaison von Freiwilligen betreut, im Sommer zusätzliche Plätze in der Sporthalle; *Azofra:* Gemeindeherberge neben der Kirche, Tel. 941 379 057, 16 Plätze, ganzjährig geöffnet von 13–22 Uhr, Küche; Privatherberge La Fuente, Plaza de España 1, Tel. 941 379 096, 14 Plätze, ganzjährig geöffnet; *Santo Domingo:* Casa del Santo, am Weg, Tel. 941 343 390, 125 Plätze, ganzjährig geöffnet von 10–22 Uhr, Küche; Herberge der Zisterzienserinnen, im Kloster am Weg, Tel. 941 342 555, 33 Plätze, geöffnet Mai–Oktober von 11–22 Uhr, schöner Aufenthaltsraum mit Kamin und Kochmöglichkeit.

▶ **Tourist-Info:** 26300 Nájera, Calle Constantin Garrán, Tel. 941 360 041; 26250 Santo Domingo de la Calzada, Calle Mayor 70, Tel. 941 341 230.

leicht

50 km

2 Tage

Der Wegverlauf

Von der Herberge aus folgt man links der Rúa Vieja. Bei der Santiagokirche entdecken wir im Straßenpflaster mehrere Bodenmosaiken, die verschiedene Stationen des Jakobswegs darstellen. Bald darauf verlassen wir die Altstadt durch das Pilgertor unter den Murallas del Revellín, wenden uns links und gleich wieder rechts. Mit dem Namen »Calle de Marqués de Murrieta« beginnt

Markthalle in Logroño

Wer Logroño nicht allzu früh verlässt, kann sich in der Markthalle der Stadt mit seinem Tagesproviant eindecken. Sie liegt vom Camino in der zweiten Querstraße hinter der Herberge links (Calle de Sagasta, ab 7:30 Uhr geöffnet).

am Kreisverkehr der Plaza de Alférez Provisional die westliche Ausfallstraße, die uns aus der Stadt bringt. Bei der großen Querstraße nach der Eisenbahnbrücke halten wir uns links auf den Parque San Miguel zu, wo wir rechts abbiegen. Durch diese neue Grünanlage verläuft, fern vom Straßenlärm, der Camino auf angenehmen und beliebten Spazierwegen. Nach 1¼ Stunden erreichen wir das malerische Naherholungsgebiet am Grajera-Stausee, Bänke und eine Bar (ab 10 Uhr geöffnet) legen ein zweites Frühstück nahe. Hinter dem Stausee, den wir an seinem Nordufer umwandern, geht es zunächst ruhig auf Teerstraßen und Pisten weiter, die uns aber schließlich zur Nationalstraße zurückführen, an der wir nun ein Stück entlanggehen müssen. Wenn wenig später die Querung auf die rechte Seite der N 120 ansteht, empfiehlt es sich dringend, dies nicht an der unübersichtlichen Stelle vorzunehmen, an der die gelben Pfeile dazu auffordern, sondern einige Meter weiter auf die Kuppe zu gehen, von der aus man den Verkehr in beide Richtungen überblicken kann.

Anschließend entfernen wir uns wieder von der Straße, wandern über eine Autobahnbrücke – links befinden sich Überreste eines alten Pilgerhospizes – und steigen hinauf nach **Navarrete**

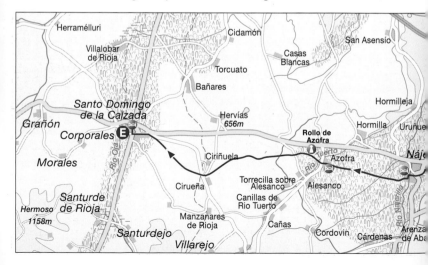

(2³/4 Std., die Pilger-
herberge befindet sich
in einem schönen al-
ten Haus mit Arkaden
direkt am Weg). Nach
einem kleinen Abste-
cher zur Kirche errei-
chen wir beim Weiter-

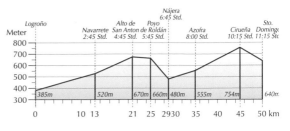

ziehen wieder die Nationalstraße, die wir beim Friedhof auf
einer Piste verlassen. Diese entfernt sich bald von der Straße,
Markierungssteine mit goldener Muschel weisen uns den rechten
Pfad. Bevor wir wieder zur N 120 zurückkehren, genießen wir
den schönen Weg durch Weingärten und Olivenhaine, vorbei an
dem großen Gebäude einer Weinkooperative. Dann marschieren
wir an der verkehrsreichen Nationalstraße entlang, der langgezo-
gene, sanfte Anstieg auf die Höhe von San Antón hat bereits begonnen.

Schließlich erreichen wir die Abzweigung nach **Ventosa**, wo
man sich nach links wendet, wenn dort Übernachtung oder Einkehr geplant ist (4¹/4 Std., bis zum Dorf 1¹/2 km). Allen anderen
bleibt die Nähe der N 120 zunächst noch nicht erspart, allmählich entfernt sich unsere Route jedoch auch von ihr und strebt
schließlich als Fußpfad der Anhöhe zu (4³/4 Std.). Hier oben, wo

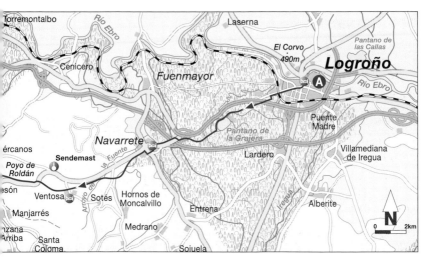

früher das Kloster und Pilgerhospiz San Antón Unterkunft gewährte, wird ein wunderbarer Ausblick auf Land und Tal vor uns frei, Gebirgsketten am Horizont schließen das herrliche Panorama ab. Vorbei an aufgetürmten Steinpyramiden setzen wir unseren Weg durch Weingärten fort und kommen zur unvermeidlichen Hauptverkehrsstraße zurück. Wir queren diese und folgen dem Straßenverlauf auf der anderen Seite. Während wir nun den Rolandshügel, Poyo de Roldán mit seinem weithin sichtbaren Sendemast anpeilen und auf seiner rechten Seite umlaufen, entfernt sich die N 120 langsam nach links. Wir passieren einen neu angelegten Rastplatz mit Brunnen und einem originellen Unterstandshäuschen, das wie ein überdimensionaler Bienenkorb aussieht, und spazieren gemütlich hinab nach **Nájera**. Altstadt und Pilgerherberge liegen auf der westlichen Seite des Río Najerilla. Nach der großen Steinbrücke über den Fluss hält man sich links in eine enge Gasse (Achtung: Gelbe Pfeile nach rechts sind hier irreführend!) und biegt dann bei der übernächsten Straße rechts ab zur Plaza de Santa María, wo die Herberge in einem Nebengebäude des Klosters untergebracht ist (6³⁄4 Std.).

Origineller Rastplatz am Poyo de Roldán

Von Nájera nach Santo Domingo de la Calzada

Nach dem Verlassen der Herberge in Nájera hält man sich rechts, um am Kloster Santa María vorbei zur Plaza de Navarra zu ge-

Eine Kathedrale mit Hühnerkäfig

Ein Bummel durch die Gassen der Altstadt von Santo Domingo vorbei am ehemaligen Pilgerhospiz – heute ein Parador-Hotel – und natürlich ein Besuch der gotischen Kathedrale mit ihrer ungewöhnlichen Tierhaltung ist sehr empfehlenswert. Der Legende nach soll ein junger Pilger in der Stadt verleumdet und zu Unrecht gehenkt worden sein. Die Eltern des Jungen setzten ihre Reise alleine fort und fanden auf dem Rückweg von Santiago ihren Sohn immer noch lebend am Galgen hängend vor, denn der Apostel hatte ihn die ganze Zeit auf seinen Schultern gehalten. Der Richter, den die Eltern daraufhin aufsuchten, glaubte das Wunder nicht und spottete, der Sohn sei so lebendig wie die beiden gebratenen Hühner auf seinem Teller. Nach diesen Worten erwachten die Tiere zum Leben und flogen auf. Zur Erinnerung an diese Begebenheit werden noch heute in der Kathedrale ein Hahn und eine Henne in einem Käfig gehalten. Hört man den Hahn in der Kathedrale krähen, so verheißt das Glück für den weiteren Weg.

langen, wo man dann nochmals rechts abbiegt. Ein Sträßchen leitet bergauf zu den letzten Häusern des Ortes, hier wenden wir uns ein drittes Mal nach rechts.

Wir steigen durch einen Kiefernwald kurz steil an und wandern danach zunächst noch auf unserer Piste, später auf einer kleinen Teerstraße durch die hügelige, vom Weinanbau geprägte Landschaft ins Dörfchen **Azofra** (1¼ Std., Brunnen, beide Herbergen vom Weg aus gut beschildert). Die Bar dort ist bereits ab 8 Uhr geöffnet und wirbt mit preisgünstigem Frühstück. Nach dem Verlassen des Ortes folgen wir zuerst kurz der Landstraße nach rechts, nehmen aber dann gleich eine Piste, die sich links von ihr

Calzada – gepflasterte Straße

Das Wort »Calzada« in Ortsnamen am Jakobsweg wird uns noch öfter begegnen und ist auch unmittelbar mit der Pilgertradition verbunden. Eine Calzada ist nämlich die Bezeichnung für eine gepflasterte Straße. Diese entstanden, als im 11. Jh. die Zahl der Pilger sprunghaft anstieg. Die Pilger brauchten deshalb unbedingt bessere Wege und brachten zudem das nötige Kleingeld dafür selbst mit. Und weil nur reiche Orte sich teurere Straßen leisten konnten, führen sie bis heute den Begriff in ihrem Namen.

Der Camino fordert seinen Tribut!

7

*Trachten-
gruppe vor
der Herberge
von Santo
Domingo*

trennt. Wenig später passieren wir den Rollo de Azofra, ein inte-
ressantes historisches Monument, das rechts in einem Acker
steht: Es ist eine Steinsäule in Form eines Schwertknaufs, ein
Symbol für die frühere Gerichtsbarkeit der Grundherren. Schließlich kreuzen wir eine Landstraße und setzen zum Aufstieg über
knapp 200 Höhenmeter Richtung **Cirueña** an. Bei einem Golf-
platz vor dem Ort wird zurzeit ein Neubauviertel errichtet, mit
etwas Glück steht uns Pilgern hier vielleicht zukünftig eine Bar
oder ein Laden zu Verfügung.

Das Dorf selbst betreten wir nicht, wir gehen nördlich auf der
Landstraße vorbei und biegen nach wenigen Minuten wieder
links auf eine Piste ab (3½ Std.). Fast immer geradeaus wandern
wir jetzt über einen sanften Höhenrücken auf **Santo Domingo de
la Calzada** zu (4½ Std.). In der schönen Altstadt finden wir links
in der Calle Mayor die Herberge der Zisterzienserinnen und wenige Meter danach rechts die Herberge der Bruderschaft des Heiligen (4 Std.).

Tapas-Bar in Santo Domingo

Wer in Santo Domingo zum Abendessen Lust auf ein paar Tapas hat, ist
im Meson Tapas y Punto in der
Calle de Juan Carlos 1° am südlichen Rand der Altstadt gut aufge-
hoben. Dort gibt es eine gute Auswahl dieser kleinen Häppchen.

Von Santo Domingo de la Calzada nach Burgos

Über die Montes de Oca nach Kastilien: Santo Domingo de la Calzada – Belorado – Villafranca Montes de Oca – San Juan de Ortega – Atapuerca – Burgos

Die Großstadt Burgos, auf die wir uns am Ende dieser Etappe freuen dürfen, gehört zu den Höhepunkten am Jakobsweg. Vorher haben wir jedoch das Bergland der Montes de Oca zu überwinden, das die geographische und klimatische Trennlinie zwischen der Rioja und Nordkastilien darstellt.

▶ **Tourencharakter:** Zunächst auf Pisten meist nahe der Nationalstraße, teilweise wellig; ab Villafranca bergig auf Pfaden und Feldwegen; vor Burgos ebene Asphaltstraßen, teilweise wenig schön durch Gewerbegebiete.

▶ **Ausgangspunkt:** Santo Domingo de la Calzada (583 km).

▶ **Endpunkt:** Burgos (509 km).

▶ **Einkehr:** Grañon, Redecilla, Castildelgado, Villamayor del Río, Belorado, Tosantos, Villambista, Espinosa del Camino, Villafranca, San Juan de Ortega, Atapuerca, Cardeñuela, Orbaneja, Castañares.

▶ **Einkaufsmöglichkeiten:** Grañon, Redecilla (Miniladen in Bar), Castildelgado, Belorado, Villafranca (Bäckerei mit Holzofenbrot an der Plaza Principal, Miniladen in der Bar El Puerto am Ortsausgang), Atapuerca.

▶ **Pilgerherbergen:** *Grañon:* Gemeindeherberge hinter der Kirche, ca. 30 Plätze (Matratzenlager), ganzjährig geöffnet, Küche, schöner Aufenthaltsraum mit Kamin, gemeinsames Abendessen und Gebet, ggf. zusätzliche Schlafplätze in der Sporthalle; *Redecilla del Camino:* Gemeindeherberge gegenüber der Kirche, 44 Plätze, ganzjährig geöffnet, Küche, Waschmaschine; *Viloria:* Privatherberge, erstes Haus am Ortseingang, Tel. 646 364 037,

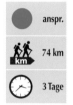

anspr.

74 km

3 Tage

20 Plätze, geöffnet April–Oktober, Küche, Waschmaschine, Frühstück und Imbiss; *Villamayor del Río:* Privatherberge, alleinstehendes Haus etwa 200 m entfernt vom Camino an der Straße nach Quintanilla del Monte, Tel. 659 967 967 (Reservierung möglich), 52 Plätze, nur in der Hauptsaison geöffnet, Mahlzeiten; *Belorado:* Herberge der Kirchengemeinde, neben der Kirche, Tel. 947 580 085 (Pfarramt), 60 Plätze, geöffnet Ostern–Oktober von 13–22 Uhr, Küche; schöne Privatherberge Cuatro Cantones, am Weg, Calle Hipólito López Bernal 10, Tel. 696 427 707 oder 957 580 591, 46 Plätze, ganzjährig geöffnet von 10–22 Uhr, Küche, Waschmaschine und Trockner, Frühstück; *Tosantos:* Herberge an der Nationalstraße, 40 Plätze (Matratzenlager), nur in der Hauptsaison geöffnet; *Villafranca Montes de Oca:* Gemeindeherberge im alten Schulgebäude, auf der linken Seite der N 120 neben der Apotheke, Tel. 947 460 922 oder 947 582 000; 20 Plätze, ganzjährig geöffnet, derzeit Notunterkunft ohne fließend Wasser, Toilette im Nebengebäude, weitere Sanitäranlagen 2004 in Bau, im Sommer Zeltlager mit 120 Plätzen an der Kirche;

8

San Juan de Ortega: einfache Herberge im Gebäude des Klosters neben der Kirche, Tel. 947 560 438, 100 Plätze, geöffnet in der Regel ganzjährig von 13–22 Uhr, Warmwasser solange Vorrat reicht, gemeinsames Abendessen, Messe um 19 Uhr; *Atapuerca:* Privatherberge La Hutte, unterhalb der Kirche in der Calle del Medio 38, Tel. 947 430 320 (Reservierung möglich), 20 Plätze, ganzjährig ab 13 Uhr geöffnet, Küche; *Olmos de Atapuerca (Abstecher!):* Gemeindeherberge in der Calle Iglesia 9, von Atapuerca ca. 2,5 km auf der Landstraße, Tel. 947 430 332, 16 Plätze plus Matratzen, ganzjährig geöffnet, Küche; *Burgos:* Herberge der Stadt, schön gelegen im Parque El Parral am westlichen Ortsausgang, Tel. 947 460 922, 96 Plätze, ganzjährig geöffnet von 14–22 Uhr, Picknickplätze mit Grillmöglichkeit; *weitere Unterkünfte: Villafranca Montes de Oca:* Pension-Bar El Pajaro, an der N 120 am Ortseingang, Tel. 947 582 001; *Burgos:* Hostal Jacobeo, Tel. 947 260 102 und Hostal Joma, Tel. 947 203 350, Calle San Juan, am Camino; Hotel Norte y Londres (2 Sterne), Tel. 947 264 125, am Weg. ▶ **Tourist-Info:** 09259 Redecilla del Camino, am Ortseingang; 09003 Burgos, Paseo del Espolón, Tel. 947 288 851 oder Plaza Alonso Martínez 7, Tel. 947 203 125.

Der Wegverlauf

Altar der Kirche Santa María in Belorade

Santo Domingo de la Calzada verlassen wir entlang der Calle Mayor. Anschließend queren wir auf einer großen Brücke den Río Oja, dem die ganze Region ihren Namen verdankt. An eben jener Stelle ließ der hl. Domingo bereits im 11. Jh. eine erste Brücke für die Pilger erbauen, denn Flussüberquerungen waren damals ein großes Problem für Reisende. Santo Domingo und sein Schüler San Juan de Ortega sorgten aber nicht nur für den Bau mehrerer Flussbrücken, sondern auch für neue Wege und Hospize. Für diese Verdienste um den Pilgerweg nach Santiago wurden sie dann auch heilig gesprochen. Nach der Flussquerung gelangen wir auf eine Piste, die rechts parallel der N 120 verläuft. Wenig später kreuzen wir die Nationalstraße, bleiben aber auch auf der anderen Seite in ihrer Nähe. Vor **Grañon** gabelt sich dann der Weg: Rechts folgt man der N 120 bis zum Ort, links wird man etwas länger, aber wesentlich angenehmer und ruhiger hingeführt

8

(1,9 bzw. 3,2 km, bis Grañon auf der längeren Variante 1 1/2 Std.). Vorbei an der Kirche erreichen wir am Ende der Hauptstraße die Bar, wo wir in westlicher Richtung aus dem Dorf hinausgehen. Auf einer Piste (hier gut auf rot-weiße Markierungen achten!) steigen wir nun abwärts zu einem Bach und danach in sanftem Anstieg wieder hinauf auf die nächste Kuppe, die bereits den Blick auf **Redecilla del Camino** freigibt. Auf dem Weg dorthin überschreiten wir dann die Grenze zur Autonomen Region Kastilien und León. Am Ortseingang von Redecilla, bei einer kleinen Grünanlage mit Brunnen und Rastplatz, gibt es deshalb auch eine Tourist-Info (2 1/2 Std.). Die Calle Mayor führt uns zurück zur Nationalstraße. Wir queren diese, überwinden ein Bächlein auf Trittsteinen und halten uns danach auf einer Piste neben der Straße bis **Castildelgado** (3 Std.). Bei den ersten Häusern werden wir auf eine sehr nützliche Hinweistafel für Pilger aufmerksam, die Informationen zu Serviceangeboten und Distanzen gibt. Aufgeführt sind jeweils der aktuelle sowie der nächste Ort am Weg, was die Planung von Einkehr und Übernachtung sehr erleichtert. Solche Tafeln werden uns erfreulicherweise durch ganz Kastilien und León begleiten, leider gibt es sie nicht in den übrigen Regionen am Jakobsweg. In Castildelgado bleiben wir südlich der Nationalstraße (dort empfehlenswerte Einkehrmöglichkeit im Hotel-Restaurant und Truck-Stop El

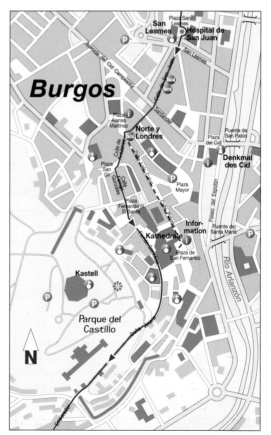

Chocolatero) und erreichen hinter dem Ort dann ein kleines Landsträßchen, das uns weg von der N 120 nach **Viloria de Rioja** führt (3¼ Std.). Eine Gedenktafel bei der Kirche informiert uns, dass der hl. Domingo hier als Sohn einfacher Bauern geboren wurde. Gerne wäre er in ein Kloster eingetreten, doch man wies ihn ab, da er nicht vornehm und reich genug war. Also lebte er zunächst als Einsiedler und beschloss dann, sein Leben dem Wohle der Pilger zu widmen. Hinter Viloria hat uns die allgegenwärtige N 120 bald wieder, bis Belorado marschieren wir auf einer Piste parallel zur Straße, unterbrochen nur von einem kurzen Abstecher durch **Villamayor del Río** (4¼ Std.). **Belorado** ist ein einladendes Städtchen mit guten Einkaufsmöglichkeiten – die besten bis Burgos (5¼ Std.). Neben den beiden Pilgerherbergen, die direkt am Weg liegen, bieten noch mehrere Hotels/Pensionen Unterkünfte an.

In die Montes de Oca nach San Juan de Ortega

Die Avenida Camino de Santiago leitet uns geradewegs aus Belorado hinaus. Wir überqueren den Río Tirón (schöner Rastplatz am Fluss) und kommen auf einen angenehmen, grasigen Feldweg, der uns in einigem Abstand zum Verkehrslärm nach **Tosantos** führt, das wir am südlichen Ortsrand passieren (1½ Std., vor dem Dorf schöner Rastplatz mit Brunnen, Herberge im Ort beschildert). Eine Piste leitet uns weiter nach **Villambistia**, auf dem

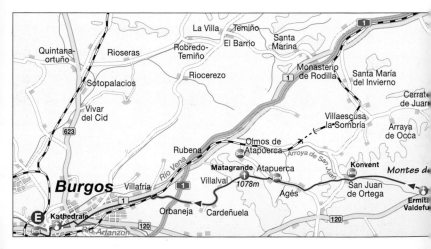

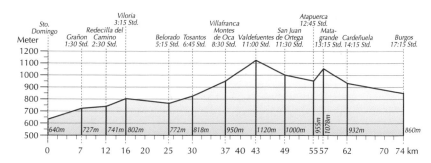

Weg dorthin genießen wir die schöne Sicht auf die in den Felsen gebaute **Ermita Virgen de la Peña** auf der anderen Talseite. Erst kurz vor dem Ortseingang von **Espinosa del Camino** treffen wir dann wieder auf die Nationalstraße und wechseln auf ihre andere Seite, um in das Dorf hineinzugehen (2 ¼ Std., Rastplatz mit Brunnen). Auf der Nordseite des Tals wandern wir anschließend weiter und folgen einer Staubpiste vorbei an den Überresten der Ermita de San Felíces. In einem flachen Bogen kehren wir zurück zur N 120, die wir kurz vor **Villafranca Montes de Oca** betreten, um auf ihr die letzten Meter zu diesem lärm- und abgasgeplagten Ort zurückzulegen (3 ¼ Std., Brunnen). Die sich an der Nationalstraße entlangziehende Ansiedlung hat eine reiche Vergangenheit, was man heute, beim eiligen Durchqueren, kaum ahnen würde. Das historische »Auca«, auf das Villafranca zurückgeht,

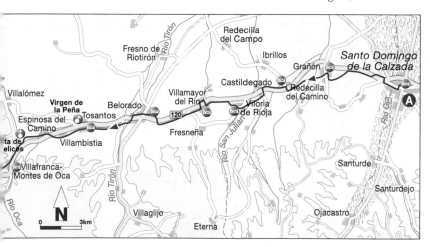

8 wurde nämlich bereits im Jahr 589 als Bischofssitz beurkundet. Auch der Name der Montes de Oca leitet sich übrigens von Auca ab. Vom früheren Glanz ist freilich wenig erhalten, lediglich die Santiagokirche und ein altes Hospiz existieren noch. Letzteres soll eines Tages wieder den Pilgern dienen, doch leider wurde dieses ehrgeizige Projekt bisher nicht realisiert. An den vorgenannten Gebäuden vorbei führt unsere Route nun steil bergauf über ein Sträßchen, das nach kurzer Zeit in einen Feldweg mündet. Ein wunderschöner Steig, der schon bald flacher wird, bringt uns hinauf in den häufig nebligen, flechtenbewachsenen Eichenwald. Nach einer Stunde des Anstiegs zeigt uns das Friedensdenkmal die Passhöhe an, tief unter uns liegt die Straße. Jetzt geht es nochmals kurz und kräftig abwärts in einen Graben hinein und auf der anderen Seite steil wieder heraus, dann liegen die Anstrengungen hinter uns. Bald biegt der Weg rechts in eine breite Brandschutzschneise ab, auf der wir einen etwas eintönigen Kiefernforst eine gute Stunde lang durchwandern. Nun heißt es, die Augen offen zu halten, um den nach links abzweigenden Forstweg in das kleine Tal des Arroyo de Valdefuentes nicht zu verpassen. Gemächlich steigen wir bergab, bald tut sich eine Freifläche auf, in der eingebettet die Abtei **San Juan de Ortega**

Auf der Brücke über den Río Tirón

Kirche von Villambistia

liegt (6¼ Std.). Die Kirche mit dem Grab des Heiligen gehört sicher zu den stimmungsvollsten Orten des Camino und ist einen Besuch sowie eine kurze Andacht wert. Die Abtei an dieser Stelle geht auf San Juan (1080–1163) selbst zurück, die heute erhaltenen Gebäude sind jedoch jüngeren Datums.

Von San Juan de Ortega nach Burgos

Eine beschauliche Wanderung steht uns nun noch bevor, bis uns die Gewerbevororte von Burgos eher unschön auf die Großstadt einstimmen. In San Juan de Ortega setzen wir unseren Weg zunächst auf der Landstraße fort, bei der ersten Gabelung folgen wir dann fast geradeaus einem Waldweg. Nach etwa 15 Minuten erreichen wir eine nur noch von einzelnen Bäumen und Büschen bewachsene Hochfläche mit herrlicher Rundumsicht. Viele Wege kreuzen sich hier, wir behalten aber einfach unsere ursprüngliche Richtung bei. Ein Zaun begrenzt diese als Weiden genutzten Wiesen, durch ein Gatter führt unsere Route dann abwärts in das Dorf **Agés** und auf die Landstraße nach **Atapuerca** (1¼ Std.). Dieser Ort hat einen in zweierlei Hinsicht bekannten Namen: Zum einen war er im Jahr 1053 Schauplatz einer Schlacht zwischen Navarra und Kastilien, wobei letztgenannte Partei den Sieg davontrug und sich damit als die bestimmende Macht Spaniens etablieren konnte. Vor allem wurde das Dorf aber durch die bedeu-

Auf der Hochfläche vor Agés

tenden archäologischen Funde von 800000 Jahre alten Menschenskeletten in einer nahegelegenen Höhle berühmt. Gleich am Ortsanfang ist nach rechts ein archäologischer Park ausgeschildert (etwa 500 m, Eintritt frei, über Mittag geschlossen; hier auch zur Pilgerherberge). Der Camino selbst verläuft geradeaus weiter und nach der Bar Cantina de Atapuerca dann links über eine Wiese (zur Herberge in Olmos de Atapuerca hier geradeaus auf der Straße weiter). Auf einem Feldweg steigen wir nun leicht bergauf in Richtung des nächsten und letzten Höhenzugs vor Burgos. Oben angekommen können wir schließlich vom Aussichtspunkt Matagrande (1078 m, 1 3/4 Std.) mit seinem großen Holzkreuz die Großstadt erstmals von Ferne sehen. Ein nur anfangs steiler Abstiegspfad bringt uns hinab nach **Villalval**. Vorbei an der alten Dorfkirche, die in den letzten Jahren mangels Geld für die Renovierung eingestürzt ist, gelangen wir auf ein – wie Informationstafeln preisgeben – von der EU kräftig gesponsertes Landsträßchen über die Dörfer, das uns rasch vorankommen lässt. Den Orten **Cardeñuela-Riopico** (2 3/4 Std.) und **Orbaneja-Riopico** mit seinen hübschen Wochenendhäuschen sieht man die Stadtnähe schon an. Wir überqueren eine Autobahn, laufen anschließend nochmals durch offenes Gelände und erreichen dann mit der Eisenbahnlinie den Vorort **Villafría de Burgos** (4 Std.). Hier zweigt vor der Eisenbahnbrücke nach links ein »inoffizieller« Weg ab, der vergleichsweise ruhig und quasi durch die Hintertür nach Burgos hineinführt. Da es sich aber nicht um den offiziellen Camino handelt, gibt es keine Garantie, dass er nicht irgendwann durch einen Zaun oder ein Fabrikgebäude versperrt wird, was dann vielleicht zu Um- oder Rückweg zwingt. Die Markierung jedenfalls leitet geradeaus über die Eisenbahn weiter, wo uns bald die N 1 mit Lärm und Gestank begrüßt. Schnurgerade hat man nun durch Industrie- und Gewerbegebiet zu marschieren, bestenfalls besteht noch die Alternative, in den Bus einzusteigen (Linie 8, Montag bis Freitag stündlich, Haltestelle vor dem Hotel Buenos Aires). Tapfere Fußpilger erreichen nach etwa einer Stunde die ersten Wohnhäuser, wo die Routenführung dann erträglicher wird. Beim Telefonica-Hochhaus biegen wir halbrechts ab, beim Centro Comercial Camino de la Plata wenden wir uns an einer Kreuzung wieder nach links. Wenig später gilt es noch eine sechsspurige Straße zu überqueren, dann haben wir den Stadtverkehr bezwungen. Wir gehen nach rechts weiter und gleich in die nächste Seitenstraße Calle de las Calzadas links hinein. Das erste Mal sehen wir hier die Türme der Kathedrale vor uns, und bald darauf kommen wir auf der Plaza San Lesmes am Rand der Altstadt an (5¾ Std.).

Burgos

Die Stadtgründung wurde 884 beurkundet, ab 1037 war Burgos Sitz der Könige von Kastillen und León. Bischofsstadt wurde es dann 1075 durch die Verlegung des Bischofssitzes von Auca. Die

Pilgerherberge von Burgos

8

Lage am Jakobsweg und an den Handelsrouten zur Küste brachte der Stadt bald beachtlichen Reichtum. Ein besonders gewinnträchtiges Handelsgut war Wolle, und so machte auch die Mesta, die sehr einflussreiche Vereinigung der Schafzüchter und Wollhändler, Burgos zu ihrem Sitz. Der Geldsegen brachte eine ganze Reihe von historischen Bauwerken hervor, allen voran natürlich die prachtvolle Kathedrale. Wenn man in der sehr sehenswerten Stadt einen Tag der Ruhe und Abwechslung einlegen möchte, empfiehlt sich ein Quartier im Zentrum. Zwei preisgünstige Hostals finden sich z. B. in der Calle de San Juan. Wir passieren sie auf dem gut markierten Weg durch die Altstadt. Geradeaus erreicht man wenig später die Plaza Alonso Martínez, wo das angenehme Mittelklassehotel Norte y Londres auch gerne Pilger

Kathedrale
von Burgos

Vorsicht bei Nebel und Regen

Bei ungünstigen Wetterverhältnissen sollte man sich nicht dazu verleiten lassen, anstatt des Steiges über die Montes de Oca die Nationalstraße zu benutzen, auch wenn Einheimische dazu raten. Vor allem bei schlechter Sicht durch Nebel und Regen ist diese Strecke wegen des dichten Verkehrs sehr gefährlich für Fußgänger.

8

willkommen heißt. Der Camino verläuft weiter über die Calle de Avellanos zur Plaza San Gil. Anschließend führt uns die Calle Fernán Gonzáles an der Rückseite der Kathedrale vorbei. Nach dem Arco de San Martín verlassen wir die Altstadt, gehen hinunter zum Fluss, über die Brücke Puente de los Malatos und in den Parque El Parral hinein, wo man bald die beiden Flachbauten der Herberge sieht (6¼ Std.).

Um direkt zur Kathedrale zu gehen, verlässt man den Camino bereits beim Hotel Norte y Londres und kommt durch eine Fußgängerzone entlang der Calle Laín Calvo und der Calle Paloma am Hauptplatz vor dem spektakulären Gotteshaus an. Eine Beschreibung der komplexen Architektur und Geschichte dieses einzigartigen gotischen Bauwerkes würde den Rahmen dieses Buches sprengen. Man erhält mit dem Kauf der Eintrittskarte einen kleinen, auch auf Deutsch verfügbaren Führer, der die wichtigsten Informationen enthält. Südlich der Kathedrale am Fluss liegt die Promenade Paseo de Espolón, die an schönen Tagen einen Spaziergang wert ist. An ihrem östlichen Ende hinter dem Theater wurde am gleichnamigen Platz ein recht martialisches Denkmal des spanischen Nationalhelden El Cid aufgestellt. Dieser hieß eigentlich Rodrigo Díaz und wurde im Jahr 1043 in der Nähe von Burgos geboren. Obwohl der Abenteurer und Heerführer zuweilen auch auf maurischer Seite stritt, ist er eine Symbolfigur der Reconquista, also der Vertreibung der Mauren aus Spanien. Er wurde mit seiner Gemahlin in der Kathedrale zur letzten Ruhe gebettet.

Schöne Aussicht im Parque del Castillo

Der Aussichtspunkt im Parque del Castillo oberhalb der Altstadt von Burgos gewährt einen wunderbaren Blick auf die Stadt mit ihren Sehenswürdigkeiten. Einen Abendspaziergang hier herauf kann man gut mit einem Glas Wein in dem angenehmen, modernen Café beim Parkplatz an der Burgmauer verbinden.

9 Über Castrojeriz nach Frómista

Über die kastilischen Mesetas: Tardajos – Hornillos del Camino – Hontanas – Castrojeriz – Boadilla del Camino – Frómista

Jetzt lernen wir die Einsamkeit der kastilischen Mesetas kennen, ein starker Kontrast zum Touristenrummel in Burgos. Ein hartes Klima drückt der Landschaft den Stempel auf. Eisig kalte Winde und Nachtfrost bis in den Mai hinein werden plötzlich abgelöst von brütender Sommerhitze. Kein Baum, kein Strauch spendet Schutz oder Schatten.

mittel

67 km

2–3 Tage

▶ **Tourencharakter:** Bequeme Wege aller Art, so gut wie keine stark befahrenen Straßen; mehrere Auf- und Abstiege mit geringen Höhenunterschieden, meist langgezogen, selten steil.

▶ **Ausgangspunkt:** Burgos, Herberge (509 km).

▶ **Endpunkt:** Frómista (442 km).

▶ **Einkehr:** Villalbilla (Abstecher), Tardajos, Hornillos del Camino, Castrojeriz, Itero de la Vega, Boadilla del Camino, Frómista.

▶ **Einkaufsmöglichkeiten:** Villalbilla (Abstecher), Tardajos, Castrojeriz, Itero de la Vega, Boadilla del Camino, Frómista.

▶ **Pilgerherbergen:** *Villalbilla:* einfache Herberge in der Calle Sagrado Corazón 4 (beim »polideportivo«), etwa 10 Minuten abseits des Wegs, 11 Plätze, ganzjährig ab 16 Uhr, nur Kaltwasser, Schlüssel/Anmeldung in der Bar Centro Cultural;
Tardajos: einfache Herberge nahe des Wegs, 22 Plätze, ganzjährig ab 15:30 Uhr;
Rabé de las Calzadas: Privatherberge Virgen de la Guia, Tel. 947 451 341, 22 Plätze, April–November ab 16 Uhr, Mahlzeiten;
Hornillos del Camino: Gemeindeherberge, Tel. 947 411 220 (Bürgermeisteramt, hier auch Schlüssel), 32 Plätze, ganzjährig geöffnet, Küche;
San Bol: sehr einfache, aber außergewöhnliche Herberge, von Udo aus

Deutschland geführt, einsam im Arroyo de San Bol gelegen, 12 Plätze, geöffnet Mai–September, Koch- und Speisemöglichkeit, Quelle, kein Strom und keinerlei sanitäre Einrichtungen;
Hontanas: schöne Herberge in einem gut restaurierten Gebäude aus dem 14. Jh., 50 Plätze, ganzjährig geöffnet, Aufenthaltsraum mit offenem Kamin, Abendessen;
San Antón: originelle, romantische Privatherberge in den Ruinen des Klosters (nicht kommerziell), 12 Plätze, geöffnet von Mai–September, Koch- und Speisemöglichkeit, nur Kaltwasser;
Castrojeriz: Gemeindeherberge San Esteban, an der Plaza Mayor, Tel. 947 377 001, ca. 30 Plätze, geöffnet Mai–Oktober ab 14 Uhr, Terrasse; Herberge in der Calle Cordón 7, 32 Plätze, ganzjährig ab 16 Uhr (Sommer 13 Uhr), Garten, gemeinsames Aufstehen und Frühstück;
Itero del Castillo: einfache Herberge im Rathaus an der Plaza Mayor, etwa 30 Minuten abseits des Wegs, 12 Plätze, ganzjährig geöffnet; Herberge San Nicolás an der Puente Itero, von der Jakobsbruderschaft Perugia geführt, im restaurierten Gebäude einer mittelalterlichen Ermita, 12 Plätze, Mai–September ab 16 Uhr, Mahlzeiten;
Itero de la Vega: Gemeindeherberge bei der Kirche, etwa 20 Plätze, ganz-

jährig ab 12 Uhr geöffnet; *Boadilla del Camino:* sehr schöne private Herberge En el Camino, Tel. 979 810 284 oder 979 730 579 (Reservierung möglich), 48 Plätze, geöffnet Ostern–Oktober, Aufenthaltsraum mit offenem Kamin, Waschmaschine und Trockner, schöner Garten, Speisemöglichkeit; einfache Herberge der Gemeinde in der alten Schule, 12 Plätze, ganzjährig geöffnet;

Frómista: großzügige Gemeindeherberge, Tel. 979 810 957 oder 686 579 70, 55 Plätze, ganzjährig ab 15 Uhr (Sommer ab 12 Uhr). ▶ **Tourist-Info:** 09110 Castrojeriz, Plaza Mayor, Tel. 947 378 527; 34440 Frómista, Calle Arquitecto Anibal, Tel. 979 810 180, Juli–September täglich, sonst nur am Wochenende geöffnet.

9

Der Wegverlauf

Wir verlassen die Parkanlage, in der sich die Herberge befindet, stadtauswärts. Links auf dem Universitätsgelände steht übrigens ein ehemaliges Pilgerhospiz, es gehört heute zur Juristischen Fakultät. Nach dem schmiedeeisernen Tor wenden wir uns rechts vor zur Hauptstraße und unterqueren eine Eisenbahnlinie. An modernen Gebäuden der Universität vorbei nehmen wir ein halbrechts von der Ausfallstraße abzweigendes Teersträßchen, auf dem wir die letzten Ausläufer der Stadt bald hinter uns gelassen haben. Bei einer Baumschule (»Vivero forestal«) endet der Asphalt, und eine Piste führt uns weiter nach **Villalbilla de Burgos** (1 1/2 Std.). Der Ort, der sich jenseits eines Eisenbahngleises erstreckt, liegt nicht direkt auf unserer Route, kann jedoch nach links über einen Bahnübergang erreicht werden, während der Camino uns hier nach rechts weiterleitet.

Wir halten jetzt auf die große Autobahnbrücke zu und unterqueren sie schließlich. Ein paar Schritte müssen nun auf der N 120 zurücklegt werden, doch gleich nach der Überschreitung des Río Arlanzón nimmt uns ein links neben der Straße verlaufender Feldweg auf. **Tardajos** ist bereits sichtbar. Dort angekommen (2 1/2 Std.) biegen wir auf Höhe von Bar und Restaurant links ab. Geradeaus ist es nicht mehr weit zur Herberge, der Jakobsweg zweigt schon vorher nach rechts ab.

Am Ortsende erreichen wir eine Landstraße, die das Tal des Río Urbel durchschneidet und uns nach **Rabé de las Calzadas** führt (2 3/4 Std.). Hier gehen wir rechts von der Landstraße ab und passieren Kirche und Dorfplatz, wo ein kleiner, recht origineller Brunnen aufgestellt wurde. Am Ende des Ortes ist die Herberge ausgeschildert (50 m rechts). Nun steht uns ein meist gemäch-

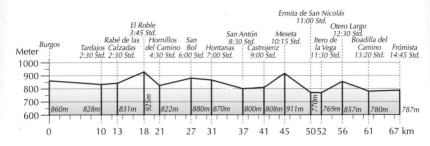

Meter

Burgos

Tardajos 2:30 Std. | Rabé de las Calzadas 2:30 Std. | El Roble 3:45 Std. | Hornillos del Camino 4:30 Std. | San Bol 6:00 Std. | Hontanas 7:00 Std. | San Antón 8:30 Std. | Castrojeriz 9:00 Std. | Meseta 10:15 Std. | Ermita de San Nicolás 11:00 Std. | Itero de la Vega 11:30 Std. | Otero Largo 12:30 Std. | Boadilla del Camino 13:20 Std. | Frómista 14:45 Std.

1000
900
800
700
600

860m 828m 831m 925m 822m 880m 870m 800m 808m 911m 770m 769m 857m 780m 787m

0 10 13 18 21 27 31 37 41 45 5052 56 61 67 km

licher und etwa einstündiger Anstieg auf eine Hochfläche bevor. Der Weg wird von Feldern gesäumt, ein Rastplatz mit Unterstand und Brunnen liegt rechts ein paar Schritte abseits der Route. Recht abrupt öffnet sich der Blick ins nächste Tal und auf **Hornillos del Camino**. Über die Abbruchkante, die den bezeichnenden Namen Cuesta de Matamulos (»Maultiertöter«) trägt, wandern wir dann steil hinab zum nahegelegenen Dorf (4¹/₂ Std.).

Man durchquert Hornillos del Camino auf der Sirga, die heute wie einst die einzige lange Straße des Ortes ist (Pilgerherberge direkt bei der Kirche). Hinter dem Dorf erwartet uns schon die nächste Meseta. Der moderat ansteigende Weg verläuft recht reizvoll in einem kleinen Tal und verengt sich von Piste zu Feldweg und schließlich zu einem Fußpfad. Nach einer guten halben Stunde sind wir oben auf der Hochfläche angekommen. Diese wird von einer schmalen Senke mit einem Bachlauf zweigeteilt, es ist ein kleiner geschützter Bereich auf der sonst so kargen Meseta, wo es sogar ein Wäldchen gibt.

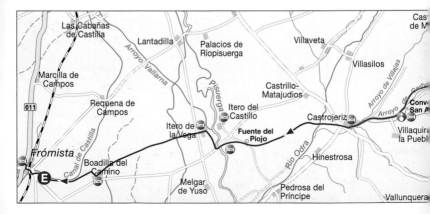

9

Früher stand hier einmal ein Kloster, San Baudilio gewidmet, welches Ort, Bach und einer Quelle den Namen gab: **San Bol** (manchmal auch Sambol genannt). Heute ist an der gleichen Stelle ein kleines Gebäude mit einer Kuppel zu finden, es ist die gleichnamige Herberge.

Auch wer hier nicht übernachten möchte, sollte sich Zeit nehmen für einen kurzen Abstecher dorthin (Abzweig San Bol 6 Std.). **Hontanas**, den nächsten Ort, sieht man praktisch erst, wenn man schon halb hineingestolpert ist (7 Std.). Er liegt geschickt verborgen in einem tiefen Einschnitt der Meseta, den ungestümen Winden entzogen, höchstens die Kirchturmspitze kann man erahnen. Abwärts gehen wir durch das Dorf, die Pilgerherberge liegt rechts am Weg.

Eine weitere Meseta: von Hontanas nach Frómista

Hinter Hontanas kreuzen wir die Landstraße. Wir wenden uns nach links und wandern talauswärts auf einem sehr schönen Weg, der schließlich wieder zur Teerstraße zurückführt. Auf dieser bleiben wir nun bis Castrojeriz (2 Std.). Vorher liegt noch das verfallene Konvent **San Antón** auf unserem Weg. In den malerischen Ruinen aus dem 14. Jh. wurde vor einigen Jahren eine kleine Pilgerherberge eingerichtet.

Im Mittelalter pflegten die Mönche des Antoniter-Ordens Kranke, die unter dem so genannten »Antoniusfeuer« litten. Diese sehr schmerzhafte Vergiftung wurde durch Getreide hervorgerufen, das mit Mutterkorn (eigentlich ein Schimmelpilz) verunreinigt

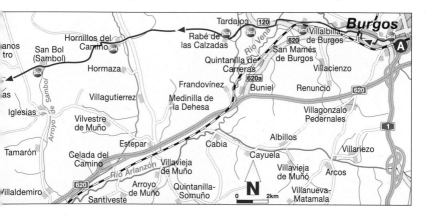

Kirchen in Castrojeriz

Das kleine Städtchen Castrojeriz, dessen Burgruine den Pilger schon von weitem grüßt, hat eine glorreiche Vergangenheit, die eng mit dem Jakobsweg verknüpft ist. Noch heute gibt es vier Kirchen; besonders sehenswert sind die wunderschöne ehemalige Stiftskirche Virgen del Manzano, die wir gleich am Ortseingang passieren (leider ist sie meist verschlossen) und San Juan am hinteren Ortsende, ein herrlicher gotischer Bau. Früher besaß Castrojeriz noch drei weitere Kirchen, eine auch Santiago gewidmet, daneben verschiedene Klöster und bis zu vier Pilgerherbergen gleichzeitig.

war. Wenn man die Torbogen der Ruine passiert, bemerkt man rechts zwei Mauernischen, in denen früher die Mönche Proviant für vorbeiziehende Pilger bereitlegten. Auf der am Burghügel entlanglaufenden Sirga durchqueren wir **Castrojeriz**. Über die Plaza Mayor erreicht man beide Herbergen: San Esteban liegt direkt dort, die andere findet man links unterhalb des Platzes (ca. 100 m).

Nachdem wir den Ort verlassen haben, halten wir auf die Hochfläche von Mostelares zu. Wir überqueren den kleinen Fluss Odrilla auf einer niedrigen Brücke und nehmen dann den kurzen, aber sehr steilen Anstieg auf die Meseta in Angriff. Diese ist oben wirklich bretteben, aber nicht sehr ausgedehnt, und nach ein paar Minuten geht's auf der anderen Seite schon wieder – ebenfalls sehr steil – hinab.

Danach wandern wir ganz gemütlich durch Ackerland, es geht immer noch leicht abwärts. Schließlich erreichen wir einen schönen Rastplatz mit einer in Stein gefassten Quelle, der Fuente del Piojo und gleich dort auch die Landstraße nach **Itero del Castillo**, auf der wir nach rechts weitergehen (3 3/4 Std.). Nach ein paar Minuten schon biegen wir nach links wieder von ihr ab (zur Herberge in Itero del Castillo auf der Landstraße bleiben), ein Feldweg bringt uns nun zur Puente Itero über den breiten Río Pisuerga und damit in die Provinz Palencia. Vor der Brücke steht links ein Gebäude aus dem 13. Jh., es war ursprünglich die Kirche eines Brückenhospizes, nach dessen Aufgabe diente es als Ermita. Heute befindet sich darin die Pilgerherberge **San Nicolás**. Nach der Brücke, sie war ursprünglich romanisch, wurde mittlerweile aber stark umgebaut, wenden wir uns nach rechts Richtung **Itero de la Vega** (4 1/2 Std., Herberge bei der Kirche).

Auf der Dorfstraße verlassen wir den Ort. Diese mündet bald in eine Landstraße, wir gehen geradeaus auf einer Piste weiter. Nun wandern wir durch die gleichförmige, fruchtbare Landschaft der Tierra de Campos. Früher wurde neben Getreide auch Wein kultiviert, es gab Viehweiden, große Taubenhäuser zur Vogelzucht und Imkereien. Moderne Agrarwirtschaft und Flurbereinigung haben dem jedoch ein Ende bereitet. Jetzt wird nur noch Weizen auf Riesenfeldern angebaut, deren Bewirtschaftung nur noch wenige Menschen beschäftigt, Wein und Weiden sind verschwunden, und die Taubenhäuser verkommen am Wegesrand.

Nach einiger Zeit überqueren wir den Pisuerga-Kanal, danach verläuft der Weg leicht ansteigend, eine Hügelreihe liegt noch zwischen uns und Boadilla. Oben angekommen wird der Ort sichtbar, danach geht es wieder sanft abwärts zum Dorf hin. In **Boadilla del Camino** (6½ Std.) passieren wir dann Gemeindeherberge und Bar, die Privatherberge befindet sich in der Nähe der Kirche. Hier steht auch eine interessante Gerichtssäule aus dem 14. Jh., die spätgotischen Verzierungen zeigen Santiago-Motive. Dort am »Rollo« wurde zu Gericht gesessen, und das Urteil wurde, wenn möglich, auch gleich an Ort und Stelle vollstreckt.

Landschaft bei Castrojeriz

9

*Die Kirche
San Martín in
Frómista*

Am Ortsende gelangen wir auf eine Piste und erreichen nach etwa einer halben Stunde den Canal de Castilla. Sein Bau im 18. Jh. war eine Meisterleistung der damaligen Ingenieurskunst, noch heute ist er der wichtigste Bewässerungskanal der gesamten Region.

In **Frómista** queren wir den Kanal bei einer beeindruckenden Schleusenanlage und gehen hinunter zur Straße, die uns ins Ortszentrum und an eine große Kreuzung führt. Der Jakobsweg verläuft hier geradeaus weiter, nach rechts gelangen wir zur Pilgerherberge und zur berühmten Kirche San Martín (7³/4 Std.).

Frómista – Stadt mit bedeutender Vergangenheit

Bereits Kelten und Römer siedelten an dem Ort, wo sich heute die Stadt Frómista befindet. Im Zuge der maurischen Invasion wurde die Siedlung zerstört und blieb ein Jahrhundert lang unbewohnt. Bedeutung erhielt die Stadt dann wieder durch die Jakobspilger, erwähnt doch Aymeric in seinem Pilgerführer Frómista als Endpunkt der sechsten Etappe. Im Jahr 1066 gründete Doña Mayor, Gemahlin von Sancho III. von Navarra und möglicherweise auch die Brückenbauerin von Puente la Reina, ein Kloster, von dem heute nur noch die, allerdings bedeutende, Kirche San Martín erhalten ist. Sie ist ein Meisterwerk der Romanik mit bemerkenswerten Bildhauerarbeiten. Über 300 Konsolfiguren zieren die steinernen Dachsparren der Kirche und stellen Tiere, Fabelwesen, Ornamente, Monster, Menschen und unzählige andere Motive dar. Innen bewundert man an den 50 Säulenkapitellen detailreiche Darstellungen von Pflanzen und Tieren, aber auch Szenen aus der Bibel, aus Fabeln oder Abbildungen der Handwerker, welche die Kirche erbauten (Eintritt).

Von Frómista weiter nach Sahagún

Geradewegs ins Land der Adobe-Bauten: Villalcázar de Sirga – Carrión de los Condes – Calzadilla de la Cueza – Terradillos de los Templarios – Sahagún

10

Weiter geht es nach Westen durch die Tierra de Campos. Dieses flache und nahezu baumlose Agrarland mit seinen oft schnurgeraden Wegen kann, besonders im Hochsommer, durchaus eine Prüfung sein. Doch Langeweile kommt nicht auf, denn Kunst, Geschichte und Natur versorgen uns Pilger stets mit neuen Anregungen.

▶ **Tourencharakter:** Bequeme Wege, lange Abschnitte direkt neben Autostraßen, Pisten; keine nennenswerten Höhenunterschiede.

▶ **Ausgangspunkt:** Frómista (442 km).

▶ **Endpunkt:** Sahagún (382 km).

▶ **Einkehr:** Población de Campos, Villarmentero, Villalcázar de Sirga, Carrión de los Condes, Calzadilla de la Cueza, Ledigos (Abstecher), Terradillos de los Templarios, Sahagún.

▶ **Einkaufsmöglichkeiten:** Población de Campos, Villalcázar de Sirga, Carrión de los Condes, Ledigos (Abstecher), Terradillos de los Templarios (in der Herberge), Sahagún.

▶ **Pilgerherbergen:** *Población de Campos:* Gemeindeherberge in der alten Dorfschule, am Weg, 16 Plätze, geöffnet Mai–September, Küche; *Villalcázar de Sirga:* Gemeindeherberge im Rathaus, 19 Plätze, geöffnet Juni–September ab 16 Uhr (zu dieser Zeit von Freiwilligen betreut, restliches Jahr: zeitweise geöffnet), Küche; *Carrión de los Condes:* Herberge der Pfarrgemeinde, hinter der Kirche Santa María, Tel. 979 880 072 (Telefon des Nachbarhauses), 54 Plätze, ganzjährig geöffnet von 12–22 Uhr; Herberge der Klarissinnen im Kloster Santa Clara aus dem 13. Jh., Tel. 979 880 134 (Reservierung möglich), ganzjährig

geöffnet, 30 Plätze, teilweise in Zimmern zu 2/3/4 Betten (mit Wäsche/Handtüchern), teilweise in größeren Räumen (ohne Wäsche/Handtücher), Küche; *Calzadilla de la Cueza:* Herberge direkt am Ortseingang links, Tel. 979 883 187 (Hostal Camino Real, hier Schlüssel holen, wenn die Herberge geschlossen ist) oder 979 883 163 (Herberge), 100 Plätze, ganzjährig geöffnet von 11–22:30 Uhr, Waschmaschine und Trockner; *Ledigos (Abstecher):* El Palomar, Privatherberge, Ronda de Abajo, Tel. 979 883 614 (Reservierung möglich), 50 Plätze teilweise in Doppelzimmern, ganzjährig geöffnet 10:30–23 Uhr, Küche, Aufenthaltsraum, Waschmaschine; *Terradillos de los Templarios:* Privatherberge, Tel. 979 883 679 (Reservierung möglich); ganzjährig geöffnet, 50 Plätze mit Bettwäsche in kleineren Zimmern, Terrasse/Garten, Waschmaschine, Mahlzeiten, Lebensmittelverkauf; *San Nicolás del Real Camino:* Laganares, Privatherberge, Plaza Mayor, Tel. 629 181 536, 20 Plätze, geöffnet April–Oktober, Cafeteria; *Sahagún:* sehr schöne Herberge in der ehemaligen Kirche La Trinidad, am Weg, Tel. 987 782 117 (Touristeninfor-

○ leicht

60 km

2–3 Tage

10

mation, im selben Gebäude),
64 Plätze, ganzjährig geöffnet (in den Sommermonaten bis 22 Uhr, sonst wird eher geschlossen), Küche.
▶ **Tourist-Info:** 34120 Carrión de los

Condes, Centro de Estudios y Documentación del Camino de Santiago, Real Monasterio de San Zoilo, Tel. 979 880 902; 24320 Sahagún, Iglesia de la Trinidad, Tel. 987 782 117.

Der Wegverlauf

Um unseren Weg fortzusetzen, gehen wir zurück zur Kreuzung der Hauptstraßen in Frómista und biegen am Büro der Touristeninformation rechts ab. Am Ortsausgang folgen wir links auf einem Bürgersteig dem Verlauf des Straßendammes, bald können wir auf einen Fußweg auf die rechte Seite der Straße wechseln. Diese Art des Camino werden wir in der nächsten Zeit öfters vorfinden: ein extra für Pilger angelegter Weg, der an den zu Straßen und Fahrwegen offenen Enden durch massive Betonsperren gegen Befahrung aller Art (ausgenommen natürlich Fahrradfahrer) geschützt ist. Ursprünglich wurden hübsche, bunt glasierte Reliefkacheln mit Muschelsymbol an den Absperrungen angebracht, doch diese waren bald ein begehrtes Souvenir und wurden fast überall herausgeschlagen.

Am Ortseingang von **Población de Campos** (45 Min.) passieren wir die Ermita San Miguel aus dem 13. Jh. mit Brunnen und Rastplatz. Nach der Durchquerung des Dorfes kann man entweder

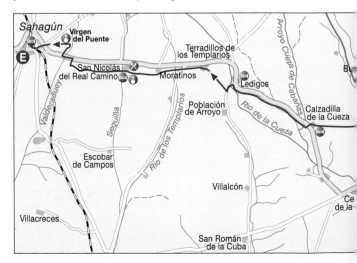

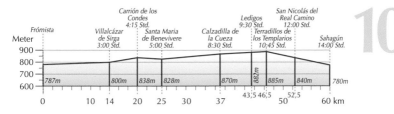

10

Meter

| Frómista | Villalcázar de Sirga 3:00 Std. | Santa María de Benevivere 5:00 Std. | Carrión de los Condes 4:15 Std. | Calzadilla de la Cueza 8:30 Std. | Ledigos 9:30 Std. | Terradillos de los Templarios 10:45 Std. | San Nicolás del Real Camino 12:00 Std. | Sahagún 14:00 Std. |

787m 800m 838m 828m 870m 882m 885m 840m 780m

0   10 14   20   25   30   37   43,5 46,5 50 52,5   60 km

zur Landstraße P 980 zurückkehren und dort weiterwandern oder eine markierte Nebenroute über Villovieco wählen. Letzteres ist empfehlenswert, da nur unwesentlich länger. Zur Straße kommt man sowieso bald genug zurück. Für die Alternativstrecke wenden wir uns am Ortsende also rechts, verlassen das Dorf gleich darauf nach links und steuern auf schnurgeradem Weg an einer Baumplantage vorbei auf **Villovieco** zu (1¾ Std.). Wir streifen den Ort nur, biegen bei einem lebensgroßen Metallpilger links ab und queren den Río Ucieza. Auf einer Piste neben dem Fluss wandern wir weiter bis kurz vor **Villarmentero de Campos**, wo wir uns dann nach links wenden, um den Ort zu erreichen (2¼ Std., am Ortsausgang schöner schattiger Rastplatz mit Brunnen). Hier geht es nun endgültig an der allerdings nicht allzu verkehrsreichen Straße entlang weiter Richtung **Villalcázar de Sirga**, kurz Villasirga genannt. Unterwegs hat man bei guter Sicht einen schönen Blick auf die Picos de Europa, besonders im

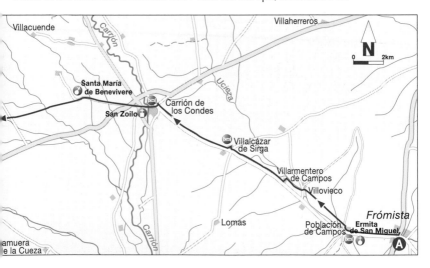

10

Frühjahr, wenn die spitzen Berggipfel noch schneebedeckt sind. Der höchste Bergzug des langgestreckten kantabrischen Küstengebirges ist seit 1995 der größte Nationalpark Europas. Am Ortseingang von Villasirga biegen wir in die Dorfmitte nach rechts in Richtung der Kirche Santa María la Blanca ab, wobei wir an der Herberge vorbeikommen (3 Std.).

Von der Kirche aus gehen wir durch den Ort zurück zur P 980. Bis nach **Carrión de los Condes** sind weitere 7 km auf dem Pilgerweg parallel zur Straße zurückzulegen (4¼ Std.). Am Ortseingang von Carrión biegen wir bei den großen Lagerhäusern links ab. Nach etwa 75 m wendet man sich halblinks, wenn man zur Herberge der Klarissinnen möchte, geradeaus hingegen geht es ins Zentrum und zur Gemeindeherberge bei der Kirche Santa María del Camino.

Das nette Städtchen Carrión de los Condes weist noch einige beachtenswerte Sehenswürdigkeiten auf. So passieren wir zunächst die Santiago-Kirche mit schöner Außenfassade aus dem 12. Jh. Danach wenden wir uns hinunter zum Fluss Carrión, den wir auf der mächtigen, ursprünglich mittelalterlichen Brücke queren. Wir gehen nun an einem Grünstreifen entlang, auf dem die Wappen aller spanischen Provinzen, die der Jakobsweg berührt, dargestellt

Vergängliche Bauten aus Lehm und Stroh

Mittelalterliche Dichtung

Im »Poema del Mio Cid«, dem bekannten mittelalterlichen Epos über den spanischen Nationalhelden, spielen die Grafen von Carrión de los Condes eine wichtige, aber unrühmliche Rolle als Bösewichte und Gegenspieler des Helden. Zwar beruht dies in keinster Weise auf historischen Tatsachen, dennoch muss das liebenswerte kleine Städtchen, das aufgrund dieser Geschichte in Spanien jedes Kind kennt, mit dieser Schande leben.

10

sind. Auf der linken Straßenseite befindet sich das Kloster San Zoilo, ein Renaissance-Gebäude, das heute auch als Hotel dient und einen besonders prächtigen Kreuzgang vorweisen kann (Eintritt). Am Stadtrand durchschreiten wir einen großen Kreisverkehr und nehmen wenig später ein kleines Landsträßchen, das uns nach etwa 45 Minuten an den Resten der Abtei **Santa María de Benevivere** auf dem Grundstück eines Bauernhofs vorbeiführt. Kurz danach trennen wir uns vom Asphalt und gehen auf einer Piste geradeaus weiter – jetzt und auch für die nächsten 12 km bis nach Calzadilla de la Cueza. Ein Schild weist uns darauf hin, dass wir nunmehr auf dem Original-Pilgerweg wandeln, doch tatsächlich ist diese Route hier noch viel älter: Es handelt sich nämlich um die Via Traiana, die alte römische Heerstraße von

*links:
Einkehr am
Weg*

*rechts:
Kapitell der
Santiago-
kirche in
Carrión*

10 Bordeaux nach Astorga. Einsamkeit und Gleichförmigkeit von Weg und Landschaft lassen einen beim Wandern jetzt fast in Trance verfallen, auch die sich zwischendurch annähernde Autobahn behelligt uns nicht. Kurz bevor wir die Landstraße nach Bustillo del Páramo queren, kommen wir noch an einem Rastplatz vorbei (6³/4 Std.). Der Brunnen dort funktioniert allerdings schon lange nicht mehr, und überhaupt gibt es an der ganzen, praktisch schattenlosen Strecke keinerlei »Wasserstellen«, Vorsorge tut also Not! Etwas später fällt ein schmaler Streifen mit verändertem Bewuchs ins Auge: Durch kleine Büsche markiert zieht sich ein Viehtriebweg wie ein Band durch die Landschaft und kreuzt unsere Piste. Hauptsächlich Schafe wurden früher dem Rhythmus der Jahreszeiten entsprechend durch ganz Spanien getrieben und ernährten sich auf der Wanderschaft vom Grün dieser so genannten »Cañadas«. Doch mittlerweile spielt die Wanderschäferei nahezu keine Rolle mehr, die alten Viehwege werden kaum noch benutzt und verbuschen. Eine gute Stunde fehlt uns jetzt noch von hier nach **Calzadilla de la Cueza**. In einer Senke gelegen bleibt der Ort für uns die ganze Zeit unsichtbar, nur der Turm der Friedhofskirche, der endlich am Horizont erscheint, zeigt, dass wir unserem Ziel doch näherkommen (8¹/2 Std.).

Ödland an der Via Traiana

Auf den Spuren der Templer

Die Templer, zuständig für den Schutz der Jakobspilger und des Pilgerwegs, gründeten Siedlungen und Stützpunkte an der Sirga peregrinal. Die Anwesenheit des Ritterordens auch urkundlich zu belegen, ist allerdings nur selten möglich, Villalcázar de Sirga gehört jedoch zu diesen wenigen Ausnahmen. Ein Überrest der sagenhaften Templerzeit hier im Ort ist die Kirche Santa María la Blanca (13. Jh.) mit der verehrten Steinmadonna, die der Legende nach mehrere Pilger heilte, die sich schon auf dem Rückweg befanden und von Santiago nicht erhört worden waren. Außerdem sind die Grabmale des Infanten Don Felipe und seiner Gemahlin, der Hochaltar sowie die von einer Vorhalle geschützte wunderschöne Fassade sehr sehenswert (Eintritt).

Durch das Land der Adobe-Bauten nach Sahagún

Wir durchqueren Calzadilla de la Cueza geradeaus und erreichen hinter dem Ort die Nationalstraße 120, wo wir einen links der Straße entlangführenden Feldweg nehmen. Landschaft und Routenverlauf sind nun nicht mehr so eben wie im vorherigen Wegabschnitt. Ein Rastplatz nicht weit vor dem nächsten Ort **Ledigos** ermöglicht uns noch einmal eine herrliche Aussicht auf die Picos de Europa (1 Std.). Den Ort selbst muss man nicht betreten, es sei denn, man möchte dort übernachten oder einkehren (zur Herberge/Bar: am Ortseingang gleich links, beide an der ersten Kreuzung). Wir passieren also Ledigos, verlassen die N 120 nach links auf der Landstraße Richtung Población de Arroyo und

Hofeinfahrt mit Adobe-mauer

wechseln ein paar Minuten später von der Teerstraße auf eine Piste, die rechts abbiegt. In **Terradillos de los Templarios** (2 1/4 Std., Rastplätze, zur Herberge am Ortseingang rechts) vollzieht man einen Schwenk nach links und verlässt das Dorf auf einem schönen Weg, der uns nun durch eine sanfte Hügellandschaft leitet. Ein Brunnen liegt auf unserer Route, er steht dort, wo sich einst das Dorf Villaoreja befand, an das sonst nichts mehr erinnert. In **Moratinos** (3 Std.) lassen sich Häuser aus Adobe erstmals gut aus der Nähe bestaunen: Das satte Ocker der Lehmbauten harmoniert herrlich mit

10

*Die Pilger-
herberge von
Sahagún*

den Farben der Landschaft und dem strahlenden Blau des Himmels an einem sonnigen Tag. Diese Lehmbauweise ist typisch für
Gegenden, in denen Mangel an anderen Baumaterialien wie
Stein und Holz herrscht. Ein Adobe-Haus in gutem Zustand zu
erhalten ist allerdings recht mühsam, denn der luftgetrocknete
Lehm bröckelt sehr schnell, und man muss regelmäßig neu ver-
putzen. Deshalb wirken diese Häuser manchmal ein bisschen
schäbig. Wenig später erreichen wir **San Nicolás del Real Camino**
(gut 3 1/2 Std.), das ebenfalls mit vielen Lehmziegelgebäuden auf-

Wissenswertes über Sahagún

Die Römer Facundus und Primitivus erlitten
am Fluss Cea, an dessen Ufern das Städtchen Sahagún liegt, ihr Martyrium. Im 9. Jh.
wurde eine Abtei zu ihren Ehren errichtet,
die sich aufgrund von Privilegien und
Schenkungen bald zur einflussreichsten am
Camino entwickelte.

Im Laufe der Zeit wurde das Kloster so
mächtig und seine Herrschaft so drückend,
das sich die Bevölkerung schließlich gegen
die »monjes negros« auflehnte (= schwarze
Mönche, gemeint sind die Benediktiner)
und die ersten Bürgeraufstände gegen die
Feudalherrschaft im mittelalterlichen Spanien losbrachen. Die Säkularisierung im
19. Jh. sowie ein schwerer Brand bedeute-

ten das Ende der Abtei, geblieben ist neben
einem Turm und einer Kapelle vor allem der
schöne San-Benito-Bogen. Übrigens geht
auch der Name der Stadt auf den hl. Facundus zurück: Sanctus Facundus wurde über
die Zusammenziehung Sanfagund zu Sahagún. Weitere Sehenswürdigkeiten hier am
Ort sind die Kirchen San Tirso und San Lo-
renzo aus dem 12. bzw. 13. Jh., insbesondere ihre im so genannten Mudéjarstil ge-
haltenen Türme.

Hierbei handelt es sich um eine Mischform
aus islamischen und christlichen Formele-
menten, die naturgemäß in Nordspanien
weniger häufig anzutreffen ist als im Süden
des Landes.

10

warten kann. Die empfehlenswerte Bar dort befindet sich ein paar Schritte rechts abseits der Route, nach links führt unser Weg an Kirche und Herberge vorbei zum Ortsende. Hier queren wir den Rìo Sequillo mittels einer Furt und gelangen wieder auf eine Piste. Vor uns liegt jetzt noch der Alto de Carrasco, ein kleiner Rücken, auf dem auch die Grenze zwischen den Provinzen Palencia und León verläuft. Danach geht's dann endgültig nach Sahagún hinunter. Wir erreichen die N120 und folgen ihr nach links ein kurzes Stück bis zu einer Brücke. Hinter dieser kreuzen wir die Straße, verlassen sie und wandern am Bachlauf entlang zur bereits sichtbaren **Ermita Virgen del Puente** (4³/4 Std., schöner Rastplatz). Von der Einsiedelei aus gelangen wir auf eine Piste, die uns durch eine Unterführung der Schnellstraße in den Ort **Sahagún** bringt. Vorbei an Lagerhallen und Fabrikgebäuden erreichen wir schließlich die Bahnlinie, die wir auf einer Eisenbahnbrücke nach links Richtung Stadtzentrum überqueren. Gleich hinter der Brücke befindet sich in einem großen Gebäude auf der rechten Seite die Pilgerherberge (5¹/2 Std.).

Die Kirche San Juan in Sahagún

11 Von Sahagún nach León

In die alte Königsstadt: Sahagún – Bercianos del Real Camino – El Burgo Ranero – Reliegos – Mansilla de las Mulas – León

Wir lassen die flache Tierra de Campos mit der Stadt Sahagún hinter uns, doch das Land bleibt gleichförmig und einsam. Nach Mansilla de las Mulas ist es allerdings mit der Ruhe vorbei, die nahe Großstadt León sorgt für Trubel und Verkehr. Uns Pilgern verheißt sie Kunst und Kultur, Einkaufsmöglichkeiten und Entspannung.

leicht

57 km

2–3 Tage

▶ **Tourencharakter:** Hauptsächlich breite Fußwege und Pisten, kaum Teerstraßen; im letzten Wegdrittel nach León mehr oder weniger nahe der verkehrsreichen N 120; keine nennenswerten Höhenunterschiede.

▶ **Ausgangspunkt:** Sahagún (382 km). Endpunkt: León (325 km).

▶ **Einkehr:** an allen Orten entlang des Weges.

▶ **Einkaufsmöglichkeiten:** an allen Orten entlang des Wegs außer Valdelafuente.

▶ **Pilgerherbergen:** *Calzada del Coto (Abstecher/an der Via Traiana):* San Roque, Gemeindeherberge, alleinstehendes Haus am Ortseingang rechts, 24 Plätze, ganzjährig geöffnet, Schlüssel ggf. im Haus gegenüber; *Calzadilla de los Hermanillos (an der Via Traiana):* Gemeindeherberge in der Calle Mayor, am Weg, 16 Plätze, ganzjährig geöffnet, Küche, Waschmaschine und Trockner, Schlüssel ggf. im Haus gegenüber; *Bercianos del Real Camino:* Herberge in einem Adobe-Haus, Calle Santa Rita 11, 35 Plätze, ganzjährig geöffnet, Küche, gemeinsame Einnahme der Speisen, im Sommer von Hospitaleros betreut, ansonsten Schlüssel in der Calle Santa Rita 9; *El Burgo Ranero:* Domenico Laffi, schöne Gemeindeherberge in einem Adobe-Haus, Plaza Mayor, Tel. 987330153 oder 987330023, 26 Plätze, ganzjährig

geöffnet, Küche, Waschmaschine und Trockner, im Winter ggf. nach dem Schlüssel im Laden oder Rathaus fragen; *Reliegos:* Herberge in der Calle Escuela Segunda 2, 50 Plätze, ganzjährig von 12:30–22 Uhr, Küche, im Winter muss der Schlüssel ggf. im Ort organisiert werden; *Mansilla de las Mulas:* schöne Herberge in der Calle Puente 15, am Weg, Tel. 987310068, 50 Plätze, ganzjährig von 12:30–23 Uhr, Küche, Waschmaschine und Trockner, Innenhof, im Winter nach dem Schlüssel ggf. im Rathaus fragen; *León:* Herberge Colegio de Huerfanos Ferrovarios, genannt »Chef«, Campos Góticos, Tel. 987081832/3, 64 Plätze, ganzjährig ab 12:30 Uhr (abends wird nicht geschlossen), Waschmaschine und Trockner; Herberge der Benediktinerinnen, Plaza Santa María del Camino, Tel. 987252866, ca. 50 Plätze (und etwa 100 Matratzen im Sommer), ganzjährig von 12–21:30 Uhr, Frühstück; *weitere Unterkünfte: León:* Pension Blanca, Calle Villafranca 2–2a, in der Innenstadt, Tel. 987251991 oder 678660244, Übernachtung und Frühstück, Etagenbad, Aufenthaltsraum, Benutzung von Küche und Internetzugang, Wäscheservice, recht originell aufgemacht, empfehlenswert, nicht zu teuer.

▶ **Tourist-Info:** 24003 León, Plaza de la Regla 4, gegenüber der Kathedrale, Tel. 987237082.

11

Der Wegverlauf

Von der Pilgerherberge in Sahagún nehmen wir die Calle Antonio Nicolás nach rechts, folgen deren Verlauf durch die ganze Stadt und überqueren schließlich auf der mittelalterlichen Puente Canto den Río Cea. Jenseits der Brücke wechseln wir auf einen schönen Alleeweg zwischen Pappeln und wandern entlang der N 120 Richtung Calzada del Coto. Der Ort liegt nicht direkt am Weg, für Einkehr oder Übernachtung muss also gegebenenfalls ein kurzer Abstecher eingeplant werden. Auch eine markierte Alternativstrecke des Camino, die ein weiteres Mal die Trasse der Via Traiana nutzt, beginnt dort. Nach einer Stunde sind wir am Abzweig nach Calzada del Coto angelangt: Man erreicht den Ort nach rechts über die große Autobahnbrücke, die Hauptroute verläuft indes geradeaus (siehe auch Info S. 113).

Auf königlichen Pfaden ziehen wir über die Leoneser Hochebene, wenn wir uns für das Verbleiben auf der Hauptroute entscheiden. Unter Karl III. wurde das nun folgende Wegstück bis Mansilla de las Mulas nämlich besonders gewürdigt und daher mit dem Attribut »real« (königlich) versehen. Dem historischen Streckenverlauf gemäß wurde 1991 extra für Pilger ein neuer Weg angelegt, mit Platanen bepflanzt sowie mit Rastplätzen versehen (leider alle ohne Wasser). Wir laufen also wie oben erwähnt an der Autobahnbrücke vorbei und befinden uns wenig später auf unserem exklusiven Pilgerweg. Die **Ermita Virgen de Perales** mit schöner Rastgelegenheit passieren wir nach einer Stunde, etwa 15 Minuten später haben wir dann **Bercianos del Real Camino** erreicht (2¼ Std.). Wir gehen einfach immer geradeaus weiter, vom Dorfplatz sind die Herberge nach links und die Bar nach rechts ausgeschildert. Hinter dem Ort beginnt wieder unser Weg parallel zu einem kleinen Landsträßchen mit sehr wenig Verkehr. Erneut kommen wir der Autobahn nahe und unterqueren sie schließlich, allzu störend ist sie jedoch nicht. **El Burgo Ranero** ist jetzt nicht mehr sehr weit (4 Std.). Vor dem

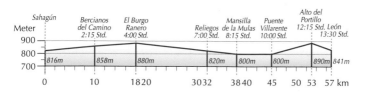

11

Dorf kreuzen wir eine Straße, auf der man gleich nach rechts zu Herberge und Bar schwenken kann, während der Camino Real geradeaus weiterleitet. Ab Ortsende wurde auch hier wieder ein Pilgerweg längs einer Landstraße angelegt, die ebenfalls so wenig frequentiert wird, dass man auch direkt auf ihr gehen kann, wenn beispielsweise bei Regen die Streckenverhältnisse nicht optimal sind. Spektakuläre Abwechslungen werden uns auf den nächsten 14 km nach Reliegos nicht geboten. Die Gegend bleibt zunächst flach, obwohl sie von einer Reihe von Senken mit nicht immer wasserführenden Bachläufen durchzogen wird. Erst später, kurz vor Reliegos, gewinnt das Gelände durch die Arroyos so viel Profil, das es für uns beim Wandern spürbar wird. Etwa zwei Drittel der Distanz haben wir hinter uns gebracht, wenn wir das Dorf **Villamarco** in einigem Abstand links liegen lassen. Nun steuern wir auf die Eisenbahnlinie León–Palencia zu, die seit Sahagún rechts von uns verläuft, aber auf der Höhe von Villamarco schließlich abknickt und unseren Weg schneidet (6¼ Std., Achtung, Bahnübergang unbeschrankt!). Kurioserweise endet kurz vor den Gleisen sowohl unser Pilgerweg als auch der Teerbelag der Straße – wir gehen auf einer Piste weiter – um hinter der Bahnlinie nach einigen Schritten wieder einzusetzen. Anscheinend konnte die Bahngesellschaft hier nicht zum Ausbau von Straße und Pilgerpfad bewegt werden.

Etwas kurviger und, wie bereits erwähnt, hügeliger wird der Routenverlauf jetzt, **Reliegos** zeigt sich uns daher erst, wenn wir es fast schon erreicht haben (7 Std.). Nach den ersten Häusern des Ortes gehen wir an einer Wegteilung halbrechts weiter zum Dorfplatz, an dem sich die Bar befindet. Die Herberge ist hier nun nach rechts ausgeschildert, während der Camino Real links weiterführt. Interessant ist die alte Kirche von Reliegos, die mittlerweile vollständig zur Ruine verfallen ist (der Turm, eigentlich ein Wahrzeichen des Ortes, ist am 11. Dezember 2000 eingestürzt!), es handelt sich nämlich um einen Adobe-Bau.

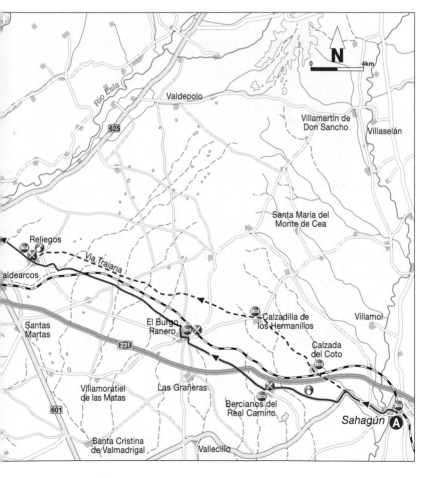

*Storchen-
siedlung in
Puente del
Castro*

Über Mansilla de las Mulas nach León

Ein letztes Mal steht uns hinter Reliegos ein Pilgerweg an der Landstraße zur Verfügung. Dieser endet kurz vor **Mansilla de las Mulas**, wenn es heißt, die N 601 zu überqueren. Wir betreten das Ortszentrum durch die Puerta Castillo, einem alten Zugang durch die dicken Stadtmauern, die dem Lauf der Zeit erstaunlich gut getrotzt haben (1½ Std.). Auf dem Spaziergang durch den Ort erreichen wir zunächst die Plaza del Pozo. Durch die Calle del Puente kommen wir dann an einer ganzen Reihe von Bars vorbei zur Pilgerherberge und zur mittelalterlichen Brücke, von der sich nochmals ein schöner Rückblick auf die eindrucksvollen Stadtmauern ergibt.

Vor uns liegt nun schnurgerade die N 120, an deren linker Seite wir auf einer Piste unseren Weg fortsetzen. **Villamoros de Mansilla** wird direkt entlang der Straße durchquert, dann erreichen wir wieder einen Feldweg. Bei einem wenig einladend aussehenden Hotel an einem Kreisverkehr erreichen wir schließlich die

Mit dem Linienbus von Mansilla de la Mulas nach León

Durch die Straßennähe ist die Etappe ab Mansilla de la Mulas bis nach León kein reines Vergnügen. Wer diese laute Strecke vermeiden will, kann am Busbahnhof in Mansilla (Ausschilderung »estación de autobuses« vor Betreten der Altstadt) den etwa halbstündlich fahrenden Linienbus nach León nehmen.

Puente de Villarente, der gleichnamige Ort liegt auf der anderen Seite (3 Std.). Gefährlich nah am Schwerverkehr müssen wir nun über die Brücke, denn der Gehweg endet unvermittelt. Höchste Vorsicht ist hier geboten!

Auf der linken Straßenseite wandert man dann durch den Ort, quert bei den letzten Häusern die N 120 und marschiert auf einem Feldweg weiter, der sich in circa 100 m Distanz parallel zur Hauptverkehrsader hält. Linker Hand finden sich jetzt Möbelmärkte und Fabriken, rechts ist – noch – offenes Land, gelegentlich sind ein paar Wohnhäuser eingestreut.

So passieren wir **Arcahueja** (4¼ Std., Brunnen) und schließlich den Ort **Valdelafuente**, hinter dem der Feldweg in eine Quer-

Die Kathedrale von León

Der Innenhof des Palacio de los Guzmanes in León

straße mündet. Wir wenden uns links hinunter zur N 120 und kreuzen sie sofort, denn später gibt es dazu keine Möglichkeit mehr. Zuerst müssen wir jetzt mit dem breiten Seitenstreifen Vorlieb nehmen, aber bald führt uns links ein Feldweg wieder weg vom Verkehr. Eine stählerne Fußgängerbrücke bringt uns schließlich über einen Autobahnzubringer, und wir erreichen an einem Bankgebäude vorbei eine Teerstraße, die im spitzen Winkel von der N 120 abzweigt. An dieser Stelle haben wir das schlimmste hinter uns gebracht. Auf der Calle de Madrid laufen wir durch **Puente del Castro** bis hinunter zum Río Torío (5³/₄ Std.). Die alte Steinbrücke gehört jetzt dem Autoverkehr, aber links von ihr führt uns ein Fußgängersteg ans andere Ufer, wo freundliche Freiwillige in einem Pilgerinformationsstand auf uns warten. Gelbe Pfeile leiten uns nun hinein in die Stadt bis zur mehrspurigen Avenida Fernández Ladreda.

Nach links folgt man hier der Ausschilderung zur Herberge »Chef«, geradeaus über die Straße entlang der Avenida Alcalde Miguel Castano leitet der Camino in die Altstadt. Gleich hinter der Plaza Santa Ana biegt dann die Calle Barahona nach rechts ab, deren Verlängerungen wir stets geradeaus folgen (beim Erreichen der Calle Herreros rechts in die Calle Escurial, nach etwa 100 m rechter Hand die Herberge der Benediktinerinnen), bis wir

11

in die alte Pilgerstraße La Rúa gelangen, an deren Ende sich das Renaissancegebäude des Palacio de los Guzmanes vor uns erhebt. Nach rechts entlang der Calle Ancha sind wir schließlich bei der Kathedrale angekommen (6½ Std.).

Die Königsstadt León

Ursprünglich von den Römern als Lager der VII. Legion gegründet, erlangte León im Zuge der Reconquista, also der Rückeroberung Spaniens durch die Christen, besondere Bedeutung. Nach Zerstörung durch Kriegshandlungen und Wiederaufbau bzw. Neubesiedlung wird es nämlich von Ordoño II. in den Jahren 914/915 zur Hauptstadt von Asturien-León erhoben. Mehrere Jahrhunderte hindurch – es ist gleichzeitig die Epoche der größten Jakobsverehrung – ist León die bedeutendste Hauptstadt des christlichen Spaniens und verliert diesen Status erst, als die Königreiche Kastilien und León im 13. Jh. endgültig vereint werden. Von den zahlreichen historischen Monumenten Leóns sind zwei besonders hervorzuheben, zum einen natürlich die Kathedrale, aber auch die Kirche San Isidoro mit dem Pantheon der Könige. Die Kathedrale Santa María de la Regla ist ein hervorragender Bau der spanischen Gotik, im französischen Stil errichtet. Über hundert bunte Glasfenster verleihen dem Inneren eine einzigartige Stimmung.

Außen beeindruckt vor allem die Fassade mit ihrem reichen Figurenschmuck und den Reliefs, insbesondere das Mittelportal mit der Darstellung des Jüngsten Gerichts und der Madonna María la Blanca darunter (Original der Madonna in der Kathedrale; Eintritt frei).

Auf der Via Traiana nach Reliegos oder Mansilla de las Mulas

Die in historischen Karten als Calzada de los Peregrinos (Pflasterstrasse der Pilger) bezeichnete Wegalternative ist kaum länger als die Hauptstrecke, dafür aber noch einsamer. Stützpunkte für Verpflegung und Übernachtung sind lediglich Calzada del Coto und Calzadilla de los Hermanillos.

Eigentlich führt die Römerstraße direkt bis nach Mansilla de las Mulas; es ist jedoch angenehmer, bei Reliegos abzubrechen und ab dort auf dem Hauptweg weiterzugehen. Das ist nicht problematisch, da man den Ort schon von weitem sieht und auf einem Weg auf ihn zuhalten kann, wenn sich die markierte Route auf Höhe des Dorfes nach rechts wendet (Achtung: Nach Calzadilla de los Hermanillos gibt es kein Wasser mehr!).

11

Die Real Basílica de San Isidoro gehört mit den Kathedralen von Jaca und Santiago sowie der Kirche San Martín in Frómista zu den herausragenden Werken der frühen Romanik in Spanien. In ihr ruhen die Gebeine des Heiligen und Gelehrten Isidor von Sevilla, der auch erster Bischof dieser Stadt war. Seine wundertätigen Reliquien zogen viele Pilger an, und Aymeric nennt ihn in seinem Pilgerführer zusammen mit den Heiligen Domingo, Facundus, Primitivus und natürlich dem Apostel selbst als einen der Leichname, die jeder Jakobspilger in Spanien besucht haben muss. Auch heute noch erfährt er große Verehrung, stets sind Andächtige in der Basilika anwesend, weshalb man von einer ausgedehnten Besichtigung der Kirche Abstand nehmen sollte (Eintritt frei).

Unbedingt besuchen sollte man jedoch das dort befindliche Panteón Real, das von 1054–1063 als Gruft für Könige, Königinnen und Adlige erbaut wurde. Wunderschöne bunte Fresken verzieren das Gewölbe, viele biblische Motive, aber auch Alltagsszenen, Tiere und Pflanzen sind abgebildet, alle in ihrer ganzen Farbenpracht ungewöhnlich gut erhalten.

Auch die Kapitelle der Säulen und Pfeiler sind mit Pflanzenornamenten und Darstellungen von Mensch und Tier prachtvoll gestaltet. In der angeschlossenen Schatzkammer bzw. der Bibliothek kann man außerdem eine Reihe von wertvollsten Kunstwerken bestaunen (Eintritt).

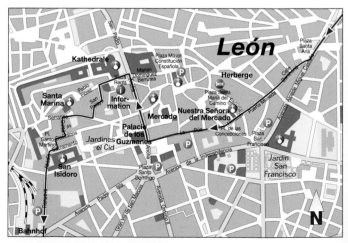

Über Hospital de Órbigo nach Astorga

12

Über den Páramo nach Astorga: La Virgen del Camino –
Villar de Mazarife – Hospital de Órbigo – Santibáñez de
Valdeiglesias – Astorga

Páramo, also Ödland, wird die wunderschöne Gegend zwischen
León und Astorga genannt, deren Zauber in ihrer Kargheit liegt.
Bedeutendste Zwischenstation ist Hospital de Órbigo, wo wir die
längste Brücke des Camino überqueren.

▶ **Tourencharakter:** Weitgehend Pisten und verkehrsarme Straßen, auch Fußwege; hinter León und vor Astorga Strecken mit starkem Verkehr; einige harmlose Anstiege.

▶ **Ausgangspunkt:** León (325 km).

▶ **Endpunkt:** Astorga (269 km).

▶ **Einkehr:** an allen Orten am Weg außer Fresno del Camino und Oncina de la Valdoncina (beide am Weg nach Villar de Mazarife).

▶ **Einkaufsmöglichkeiten:** La Virgen del Camino, Villar de Mazarife, Hospital de Órbigo, Villares de Órbigo, San Justo de la Vega, Astorga; außerdem an der N 120-Variante: Villadangos del Páramo und San Martín del Camino.

▶ **Pilgerherbergen:** *Villar de Mazarife:* einfache Herberge in einem Privathaus, Tel. 987 390 697, nicht kommerziell, 40 Plätze, ganzjährig geöffnet, Küche, Innenhof;
Hospital de Órbigo: von Freiwilligen betreute Herberge der Pfarrgemeinde, am Weg, Calle Álvarez Vega 32, Tel. 987 388 444 (Pfarramt), 80 Plätze, geöffnet Ostern–Oktober, Küche, schöner Innenhof; Herberge der Gemeinde, ca. ½ km rechts der Brücke, Paseo de la Vega, Tel. 987 388 250, 40 Plätze, ganzjährig geöffnet, Küche; *Santibáñez de Valdeiglesias:* von Freiwilligen betreute Herberge der Pfarrgemeinde, am Weg, Tel. 987 377 698, 30 Plätze, geöffnet Ostern–September von 12–22:30 Uhr, Küche, Innenhof; *Astorga:* Herberge der Freunde des Jakobswegs von Astorga, Calle Matías Rodríguez 26, 36 Plätze, geöffnet etwa Oktober–Mitte Mai, im Sommer in einem großen Schulgebäude, Plaza de los Marqueses, ca. 200 Plätze; San Javier, ausgezeichnete Herberge in einem alten, sehr schön restaurierten Gebäude in der Nähe der Kathedrale, Calle Portería 6, Tel. 987 618 532, 110 Plätze, Küche, Waschmaschine und Trockner, Innenhof mit Brunnen, Frühstücksbuffet;
Villadangos del Páramo (N 120-Variante): Gemeindeherberge in der alten Schule rechts oberhalb der N 120 am Ortsrand, Tel. 987 390 629, 80 Plätze, ganzjährig geöffnet, Küche, Waschmaschine und Trockner;
San Martín del Camino (N 120-Variante): Herberge an der N 120 rechts, vor dem Wasserturm, Tel. 656 544 555, 60 Plätze und Matratzen, ganzjährig geöffnet, Küche, Waschmaschine und Trockner.

▶ **Tourist-Info:** 24700 Astorga, Plaza Eduardo de Castro 5, Tel. 987 618 222.

○ leicht

🚶🚶 km **56 km**

🕐 **2–3 Tage**

Der Wegverlauf

Am Platz vor der Kathedrale mündet bei der Touristeninformation ein kleine Gasse, die uns in Leóns Altstadt hineinführt. Muscheln am Boden weisen den Weg kreuz und quer durch das Viertel zur

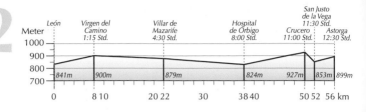

Basilika San Isidoro. Hier steigen wir beim Pantheon-Museum die Treppen hinab und gehen rechts am Turm des goldenen Hahns vorbei. Nach etwa 200 m wenden wir uns nach links und erreichen immer geradeaus durch die Calle Renueva und Avenida Suero de Quiñones die großzügige Plaza San Marcos, wo sich das gleichnamige Klostergebäude befindet. Es ist mit einer prachtvollen platereken Fassade ausgestattet und war früher das Stammhaus des Santiago-Ordens. Heute beherbergt das Gebäude ein Parador-Luxushotel und das Museo de León. In früheren Zeiten gab es hier auch einmal ein Pilgerhospiz. Über den Río Bernesga und vorbei an einer Parkanlage wandern wir an einer breiten, verkehrsreichen Straße stadtauswärts, die wir bei einer Rechtskurve einmal kurz verlassen, um geradeaus auf einer Fußgängerbrücke mit grünem Geländer Eisenbahngleise zu que-

Baumblüte im Mai

ren. Bei einem Blumengeschäft – wir befinden uns inzwischen im Vorort **Trobajo del Camino** – zeigen uns deutliche Markierungen an, dass wir hier von der Hauptstraße links abbiegen müssen (knapp 1 Std.). Vorbei an hübschen Kellerhäuschen, durch ein Wohngebiet und Gewerbeanlagen erreichen wir bergauf die N 120, der wir nach rechts in den Ort **La Virgen del Camino** folgen (1¼ Std.). Am hinteren Ortsende, etwa auf Höhe der modernen Kirche mit dem verehrten Marienbild der Hl. Jungfrau vom Weg, wechseln wir auf eine kleine Teerstraße, die sich hier links von der N 120 trennt. Eine einfache Orientierungstafel und auf die Straße gemalte Hinweise zeigen jetzt zwei markierte Jakobsweg-Varianten an. Die erste Wegalternative führt immer entlang der N 120 auf Pisten und Fußwegen nach Hospital de Órbigo. Mit den Herbergen von **Villadangos del Páramo** und **San Martín del Camino** existieren auf dieser Route zwar gute Übernachtungsmöglichkeiten, die permanente Straßennähe verleidet jedoch arg den Wanderspaß.

Die wesentlich schönere und nur etwa 3 km längere Streckenführung der anderen Alternative erlaubt es uns hingegen, die weite und einsame Landschaft des Páramo in aller Ruhe zu genießen. Dazu biegen wir von dem Asphaltsträßchen neben der N 120

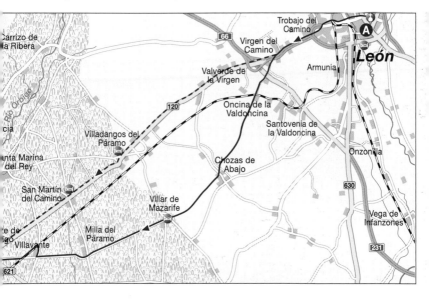

12

nach ein paar Schritten links auf einen Feldweg ein. Dieser endet an einer kaum befahrenen Landstraße, auf der wir zunächst eine Autobahn unterqueren und kurz danach ins Dorf **Fresno del Camino** gelangen (Rastmöglichkeit mit Brunnen). Im nächsten Ort, es ist **Oncina de la Valdoncina**, verlässt man die Straße beim Brunnen bzw. bei einem Spielplatz und steigt geradeaus auf einer Piste ein kurzes Stück steil an (2¼ Std.). Die karge Heidelandschaft des Páramo nimmt uns nun auf, nur hie und da gibt es auch bewirtschaftete Flächen. Auf den großen Brachen stehen im Frühsommer Orchideen dicht an dicht wie andernorts Gänseblümchen.

Völlig eben wandern wir jetzt auf der Hochfläche dahin und erreichen schließlich **Chozas de Abajo** (3½ Std.). Am Ortseingang ist die Bar ausgeschildert, die sich am Dorfplatz in der Casa de Cultura befindet (Brunnen). Sie ist recht leicht zu übersehen, da sie nicht weiter gekennzeichnet ist. Auf einer stillen Asphaltstraße legt man dann die letzten 4 km nach **Villar de Mazarife** zurück (4½ Std.), wo den Wanderer ein sehr ansprechendes, großes Mosaik mit der Darstellung von Pilgern und der örtlichen Santiago-Kirche empfängt. Dort finden sich auch noch weitere Mosaiken des hiesigen Künstlers, aber leider ist das Gebäude meist verschlossen. Gleich bei den ersten Häusern des Dorfes geht es nach links zur Pilgerherberge, deren Fassade mit kräftigen Farben gestrichen wurde, so wie man es hier in der Gegend häu-

San Marcos in León: ehemals Kloster, heute Luxushotel

figer sieht. Hält man sich an dieser Stelle geradeaus und folgt *links:* weiter dem Jakobsweg, so gelangt man zum Dorfplatz mit Bar *Orchideen* und Geschäften, trifft auf eine zu kreuzende Landstraße und ver- *auf dem* lässt Villar de Mazarife bei einer Sportanlage. Auf Asphalt wan- *Páramo* dern wir jetzt schnurgerade dahin.

Die Landschaft verändert sich, Bewässerungskanäle sorgen für *rechts:* mehr Feuchtigkeit und erlauben eine intensivere landwirtschaftli- *Pilgerfigur* che Nutzung des Bodens. Nach einer Straßenkreuzung gelangen *hinter Virgen* wir schließlich auf eine Piste, die nach kurzem Links-Rechts- *del Camino* Schwenk erneut ganz geradlinig auf **Villavante** zustrebt (6¾ Std.). Nach rechts gehen wir in das Dörfchen hinein, passieren einen Brunnen mit Rastmöglichkeit im Schatten und erreichen vorbei an einem Wasserturm das Ortsende. Dort überschreiten wir auf einer Brücke Bahngleise und laufen hinterher noch ein kurzes Stück an ihnen entlang. Wenig später folgt die nächste Brücke, diesmal ist die Autobahn zu queren. Nun haben wir schon **Puente de Órbigo** im Blick, das sich diesseits des Río Órbigo be- findet, während **Hospital de Órbigo** drüben am anderen Fluss- ufer liegt.

Ein Wasserturm markiert die Wanderrichtung, doch Vorsicht an dieser Stelle: Breite und verkehrsreiche Straßen müssen gekreuzt werden! Wenige Minuten später stehen wir dann an der berühm- ten Steinbrücke, die mit fast unglaublichen 20 Bögen das Tal des Flüsschens Órbigo überspannt (8 Std.).

12

Mosaik am Ortseingang von Villar de Mazarife

Vorbei am Crucero de San Toribio nach Astorga

Gemächlich schlendern wir über die lange Brücke, von der aus die beiden örtlichen Pilgerherbergen ausgeschildert sind. Bei den letzten Häusern von Hospital de Órbigo nehmen wir eine Piste nach rechts. Sie bringt uns nach **Villares de Órbigo** (³/₄ Std.) und zu der Hochfläche, die sich gleich hinter dem Dörfchen erhebt und von uns auf dem Weg nach Astorga überwunden werden will. Am Ortsende von Villares trifft man auf eine Teerstraße, an der man einige Schritte entlang eines breiten Bewässerungskanals nach links geht. Auf einer kleinen Steinbrücke überquert man diesen bald und gelangt auf einen sehr reizvollen Fußpfad, auf dem man ganz geruhsam zwischen Weingärten und Äckern, aber vor allem durch buschbewachsenes Brachland ansteigt. Er mündet in eine kleine Teerstraße, auf der man nach rechts die letzten Meter des Hanges bewältigt.

Ein schöner Blick auf **Santibáñez de Valdeiglesias**, unten in der Senke eingebettet, tut sich auf. Das Dorf ist bald erreicht (1¼ Std.). Wir gehen am Brunnen vorbei, zu dem man ein paar Stufen hinunter muss, und biegen noch vor der Kirche rechts ab. Bar und Herberge befinden sich links der Straße, die ansteigend den Ort verlässt und dabei zur Piste wird. Felder und Obstgärten säumen den Weg, eine schöne Aussichtsbank bleibt rechts zu-

12

rück. Nach einem sanften Aufstieg, zuletzt durch Eichenwald, sind wir oben angekommen, allerdings sorgen jetzt noch einige feuchte Mulden für etwas auf und ab. Vor uns am Horizont erheben sich die Montes de León, die wir in den nächsten Tagen auf herrlichen Wegen überqueren werden. Schließlich kreuzt eine Straße unseren Weg, der danach endlich bretteben bleibt. Die ersten Blicke auf Astorga werden frei, während wir auf das **Crucero de San Toribio** zusteuern. Das Wegkreuz steht direkt am Rand der Hochfläche und markiert den Beginn unseres Abstiegs nach **San Justo de la Vega**, das unten am Fuße des Hanges liegt. Beim Crucero genießen wir aber erst die wunderbare Aussicht auf das von der Kathedrale dominierte **Astorga** mit der schönen Kulisse der Berge im Hintergrund, bevor wir den kurzen Weg hinab zurücklegen. Unten stoßen wir auf die N 120, der wir durch San Justo folgen (3 1/2 Std.).

Auch nach dem Ortsende bleiben wir zunächst noch neben der Nationalstraße – erfreulicherweise bleibt uns der Bürgersteig erhalten –, überschreiten die Brücke über den Río Tuerto und wechseln danach auf eine Piste, die rechts parallel, aber nicht allzu dicht an der Straße entlangführt. Vorbei an Fabrikgebäuden und über eine hübsche kleine Steinbrücke kommen wir kurz vor der Stadt zur N 120 zurück, kreuzen dort zwei Bahnlinien und halten uns danach links auf eine abzweigende Teerstraße. Bei

Lebendiges Mittelalter

Bei der Brücke von Hospital de Órbigo ereigneten sich im heiligen Jahr 1434 jene Ritterkämpfe, die als »Passo honroso« bekannt wurden und heute die Grundlage für ein alljährlich gefeiertes Mittelalterspektakel bilden. Der Adlige Don Suero de Quiñones war in Liebe entbrannt zu einem Ritterfräulein, zu deren Ehre er gelobte, ein eisernes Halsband zu tragen. Da sich die Dame wohl als recht spröde erwies und Don Suero sich von seinem Gelübde wieder befreien wollte, verkündete er, mit jedem Ritter, der in den Wochen um den 25. Juli (des Aposteltages) die Brücke überqueren würde, einen Zweikampf auszutragen. Sage und schreibe 300 Gegner mussten sich Don Suero und seinen Getreuen geschlagen geben, um das Gelübde aufzu-

heben. Anschließend pilgerte er noch nach Santiago, wo das Halsband gestiftet wurde und heute noch an der Büste von »Santiago Alfeo« zu bewundern ist. Wie die Liebesgeschichte endete, ist nicht überliefert, doch soll ein unterlegener Ritter Don Suero viele Jahre später aus Rache getötet haben.

Der Bischofspalast von Astorga

den ersten Wohnhäusern müssen wir dann steil hinauf zur Puerta del Sol und der Plaza San Francisco (4½ Std., geradeaus auf den Park zu und dort ein paar Schritte nach rechts zur »Winterherberge«; durch den Park und nach rechts immer an der Mauer entlang zur »Sommerherberge«). Der nun folgende Weg durch die Altstadt ist nicht immer optimal markiert, aber auch so nicht zu schwer zu finden. Vom San-Francisco-Platz wendet man sich nach rechts in die Calle Padres Redentoristas und passiert die Plaza Romana mit römischen Ausgrabungen sowie das Gebäude der Ergástula, in dem heute das Römische Museum untergebracht ist. Den Hauptplatz mit dem schönen Rathaus quert man schräg nach links und gelangt in die Calle Pío Gullón. Immer dem Straßenverlauf folgend erreicht man die Calle Postas und die Calle Santiago, um an deren Ende schließlich nach rechts zur Plaza Eduardo de Castro abzubiegen. Bischofspalast und Kathedrale formen hier in einem schönen Ensemble das Herz der Altstadt (Touristen-Information rechts am Platz; zur Herberge San Javier gegenüber der Kathedralenfassade wenige Schritte in die Calle Portería).

Sehenswertes Astorga

In der Altstadt von Astorga haben die Römer eine ganze Reihe von Bauwerken hinterlassen. Schon damals war die Stadt wichtig, was nicht zuletzt daran lag, dass sich hier zwei Römerstraßen kreuzten, nämlich die uns schon bekannte Via Traiana aus Bordeaux sowie die Via de la Plata (Silberstraße) aus dem Süden des Landes. Auch Bischofssitz war Astorga mindestens seit dem 3. Jh., und der Legende nach soll diesen niemand geringerer als der Apostel selbst begründet haben.

Umso moderner ist der Bischofspalast, ein neugotisches Bauwerk des Katalanen Antonio Gaudí, das 1913 fertiggestellt wurde und heute das Museo de los Caminos beherbergt. Die Innenbesichtigung lohnt alleine schon wegen der Architektur, außerdem kann man die Ausstellungsstücke zu den Jakobswegen betrachten (Eintritt). Gleich daneben befindet sich die gotische Kathedrale, mit deren Bau im 15. Jh. begonnen wurde. Innen ist der Hochaltar besonders beachtenswert, außen fällt uns vor allem eine recht originelle Figur auf einem Türmchen der Apsis ins Auge: Es handelt sich um »Pero Mato«, einen Maragato (so die Bezeichnung der Ortsansässigen), der Teilnehmer an der berühmten Schlacht bei Clavijo war.

Über die Montes de León nach Ponferrada

13

Zum Eisenkreuz am Monte Irago: Rabanal del Camino – Foncebadón – Manjarín – Molinaseca – Ponferrada

Durch die karge Landschaft der Maragatería steigen wir auf in die Montes de León, wo wir auf schönen Wegen das Panorama genießen und mit dem Cruz de Ferro eine der bekanntesten Stationen des Jakobswegs erreichen. Dort legen wir, alter Tradition entsprechend, den Stein ab, den wir aus der Heimat hierher getragen haben.

▶ **Tourencharakter:** Lange Abschnitte auf Asphalt, meist auf kaum befahrenen Nebenstrecken, außerdem Fußpfade; etwa 600 Hm Auf- und knapp 1000 Hm Abstieg, darunter auch steilere Passagen.

▶ **Ausgangspunkt:** Astorga (269 km).

▶ **Endpunkt:** Ponferrada (214 km).

▶ **Einkehr:** an allen Orten am Weg außer in Valdeviejas.

▶ **Einkaufsmöglichkeiten:** Rabanal del Camino, Molinaseca, Campo, Ponferrada.

▶ **Pilgerherbergen:** *Murias de Rechivaldo:* Gemeindeherberge am Ortsausgang, 20 Plätze, ganzjährig geöffnet; Las Águedas, schöne Privatherberge in einem typischen Maragatería-Haus, am Ortsausgang, am Weg, Tel. 636 067 840 (Reservierung möglich), 60 Plätze, ganzjährig von 12–22 Uhr, Küche, Waschmaschine und Trockner, Mini-Laden, Frühstück, schöner Innenhof; *Santa Catalina de Somoza:* Herberge in der alten Schule, am Weg, Tel. 987 691 819 (Bar El Peregrino, hier gibt's auch den Schlüssel), 36 Plätze, ganzjährig geöffnet; *El Ganso:* sehr einfache Herberge in der alten Schule, Plaza de las Heras, 16 Plätze, ganzjährig geöffnet, Wasser nur am Brunnen, keine Toiletten (nur in den örtlichen Lokalen); *Rabanal del Camino:* Herberge Gaucelmo, von englischen Freiwilligen betreut, gegenüber der Kirche, Tel. 987 691 901, 46 Plätze, geöffnet April–Oktober von 15–22:30 Uhr, Küche, Innenhof, Frühstück; Gemeindeherberge am Dorfplatz, 22 Plätze, geöffnet 15. Mai–15. Oktober, Kochmöglichkeit; Nuestra Señora del Pilar, schöne Privatherberge am Dorfplatz, 72 Plätze, ganzjährig geöffnet, Küche, Innenhof mit Bar, Speisemöglichkeit; *Foncebadón:* Herberge in der restaurierten Kirche, 28 Plätze, Küche, gemeinsames Abendessen und Gebet; *Manjarín:* originelle, aber etwas chaotische Herberge, am Weg, 20 Plätze, Wasser vom Brunnen, Koch-, eventuell auch Speisemöglichkeit; *El Acebo:* Privatherberge in der Bar Mesón El Acebo, am Weg, Tel. 987 695 047, 24 Plätze, weitere 14 Plätze in einem anderen Gebäude, ganzjährig geöffnet, Waschmaschine und Trockner; Gemeindeherberge, erstes Haus am Ortseingang rechts am Weg, 10 Plätze (werden erst vergeben, wenn die andere Herberge belegt ist!), Schlüssel/Platzvergabe ebenfalls in der Bar Mesón El Acebo; *Riego de Ambrós:* Privatherberge, am Dorfplatz am Weg, Tel. 987 695 190, 50 Plätze, ganzjährig geöffnet, Küche, Waschmaschine, Frühstück, wenn geschlossen ist, in der Bar nachfragen; *Molinaseca:* schöne Herberge am Ortsausgang am Weg, Calle Manuel Fraga Iribarne, Tel. 987 453 180,

anspr.

55 km

2–3 Tage

ca. 30 Plätze, bei Bedarf zusätzlich Matratzen und Plätze in Zelten im Garten, ganzjährig geöffnet, Küche, Waschmaschine und Trockner; *Ponferrada:* neue, schöne Herberge in der Calle de la Loma, Tel. 987 413 381,

186 Plätze, ganzjährig geöffnet, Küche.
▶ **Tourist-Info:** 24413 Molinaseca, Plaza de García Rey, Tel. 987 453 085; 24400 Ponferrada, Calle Gil y Carrasco 4, Tel. 987 424 236.

Der Wegverlauf

Am Vorplatz der Kathedrale nimmt man die Calle Leopoldo Panero oder auch die Parallelstraße Calle Portería bis zur nächsten Querstraße, der Calle Puerta Obispo, an der man rechts stadtauswärts abbiegt. Ab hier finden wir wieder regelmäßig unsere gewohnten Jakobswegmarkierungen. Jetzt geht's geradeaus weiter bis zu einer modernen Kirche – ein großes Mosaik zeigt Santiago-Motive – und dort nach links zur N IV, nach deren Überquerung wir einer Landstraße folgen. Der Stadtrand von Astorga ist nach einer halben Stunde erreicht, wir gelangen übergangslos in den Vorort **Valdevieja** und wandern an der Ermita de Ecce Homo vorbei, die sich auf der linken Straßenseite befindet. Nach einer Autobahnbrücke endet unser Gehsteig, zuerst neben und dann auf der Landstraße halten wir auf **Murias de Rechivaldo** zu, wo wir gleich beim Ortsschild nach links auf eine Piste einbiegen (1 Std., Herberge am Ortsende). Hinter dem Dörfchen findet sich dann wieder mal ein Pilgerweg für uns, der zunächst parallel einer unbefestigten Straße, später dann an einem Landsträßchen entlangführt. Karg und struppig präsentiert sich nun die Maraga-

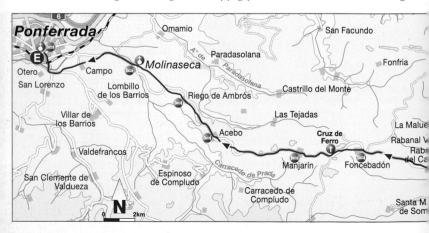

13

tería-Landschaft. Der weiße Kies des Pilgerwegs zieht sich wie ein strahlendes Band dahin und bildet mit den orange-roten Farben der Erde und dem Blautönen des Himmels und der Berge, die oft auch im Frühsommer noch mit einer Schneehaube ausgestattet sind, ein prächtiges Farbenspiel. Da der unfruchtbare Boden hier kaum landwirtschaftliche Nutzung erlaubt, waren die Maragatos gezwungen, sich nach anderen Erwerbsmöglichkeiten umzusehen. Viele fanden ihr Auskommen als Fuhrleute und Maultiertreiber. Trachten und Traditionen unterscheiden sich hier von anderen Dörfern der Region, auch die Bauweise ist ganz charakteristisch. Typisch sind beispielsweise die schmalen Kirchtürme, sehr schön zu sehen in **Santa Catalina de Somoza**, dem nächsten Ort am Weg (2¼ Std.). Zwischen Steinmauern gehen wir in das Dorf hinein und auf die Kirche zu, hinter der sowohl Herberge wie auch Bar nach links ausgeschildert werden. Am Ortsende setzt sich der Pilgerpfad rechts der Landstraße fort. Die ganze Zeit geht es nun schon aufwärts, aber so moderat, dass es kaum auffällt. Malerische Mäuerchen säumen die Straße, und der komfortable Weg gestattet es, den Blick in aller Ruhe schweifen zu lassen. Bei **El Ganso** wenden wir uns nach rechts ins Dorf hinein und passieren zwei originelle und empfehlenswerte Bars direkt nebeneinander, sowie einen Brunnen mit Trinkwasser bei der Kirche (3 Std., Herberge am linken Ortsende, im Haus auch »Consultorio«, also Arztsprechzimmer). Nicht weit hinter El Ganso endet schließlich der Pilgerweg, und wir wandern auf dem

Blühender Oleander säumt unseren Weg.

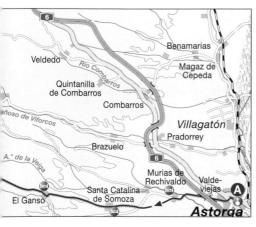

13

ruhigen Teersträßchen weiter, wo auf **Rabanal del Camino** zu der Anstieg nun doch spürbar wird. Ein lockerer Laubwald umgibt uns jetzt, auf freien Flächen weiden Pferde. Kurz vor Rabanal fällt uns ein mächtiger Baum besonders auf: Es ist die so genannte Pilgereiche. Wir erreichen den für den Fremdenverkehr herausgeputzten, hübschen Ort auf einer Piste, die sich rechts von der Landstraße trennt (5 Std.). Schon immer war Rabanal ein wichtiger Stützpunkt für die Jakobspilger, Aymeric gibt ihn in seinem Pilgerführer als Endpunkt der neunten Etappe an. Gemütlich schlendern wir bergauf durch den Ort, der reichlich Infrastruktur in Form von Bars, Restaurants und Läden zu bieten hat. Auf einer Piste verlassen wir Rabanal schließlich und erreichen wieder die Landstraße, auf der man gleich rechts hinauf den Weg nach Foncebadón einschlagen kann. Schöner ist es allerdings, hier zunächst noch auf dem Fußpfad zu wandern, der sich links und rechts der Straße zwischen großen Heidestauden, Ginster und Wiesenflächen aufwärts schlängelt (Brunnen), und erst nach dessen Ende auf der steiler werdenden Straße weiterzugehen. **Foncebadón**, bereits im 10. Jh. urkundlich erwähnt, war für die Pilger des Mittelalters eine wichtige Anlaufstelle, liegt allerdings heute weitgehend in Ruinen. Doch durch die Neuentdeckung des Jakobspilgertums in den vergangenen Jahren wurde auch diesem Geisterdorf wieder etwas Leben eingehaucht. Neben einigen Privathäusern gibt es inzwischen ein großes Hostal (dort auch preis-

Die Versorgung ist gesichert: Bars in El Ganso

13

günstige Übernachtungsmöglichkeit für Pilger), ein sehr empfehlenswertes Restaurant (siehe Kasten S. 129) sowie eine schöne Herberge in der alten, wieder hergerichteten Kirche (6½ Std.).

Vorbei am Cruz de Ferro nach Ponferrada

Wir durchqueren Foncebadón auf der Sirga und halten uns beim Holzkreuz am Ortausgang links. Herrlich ist der Ausblick von hier oben auf die sanft geschwungene Berglandschaft, deren Gipfelregion wir uns nun schon deutlich angenähert haben. Nur noch eine gute halbe Stunde trennt uns vom berühmten **Cruz de Ferro** (Eisenkreuz). Wir erreichen erneut die Landstraße und nehmen dort einen Fußpfad auf der anderen Straßenseite. Jetzt wird ein langer Baumstamm sichtbar, oben ist ein bescheidenes Kreuz aufgepflanzt, und unten befindet sich ein riesiger Steinhaufen, der bald auch um unsere Steine reicher sein wird. Tausende Jahre reicht hier die Tradition des »Steinaufschichtens« schon zurück, bereits zu vorrömischer Zeit war es üblich, und auch den Römern war dieser Brauch bekannt. Der Eremit Gaucelmo (gestorben um 1123), Gründer eines Hospizes in Foncebadón, machte das heidnische Symbol zu einem christlichen, indem er an dieser Stelle ein Kreuz errichtete. Wir mischen uns unter die anderen Pilger, auch die Fahrradfahrer kommen hier vorbei, und es gibt immer ein großes Hallo in allen möglichen Sprachen. Jeder fotografiert jeden, und das Gruppenbild mit Kreuz wird sicher zu unseren

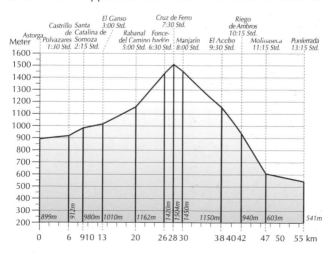

schönsten Erinnerungen gehören. Auf der Landstraße setzen wir unseren Weg leicht abwärts schlendernd fort und erreichen nach einer halben Stunde die Überreste des verfallenen Bergdorfes **Manjarín**. Eine Glocke ertönt, sobald wir uns ein paar kleinen, fantasievoll zusammengezimmerten Gebäuden zwischen den Ruinen nähern: der Gruß an uns Pilger. Wir stehen vor der Herberge von Tomás, einer der bekanntesten Persönlichkeiten des Camino. In Eigenregie stellte er hier in der Einsamkeit ein einfaches Refugio auf die Beine, das in der Tradition der Tempelritter Gastfreundschaft gewährt. Deshalb machen wir dort in jedem Fall kurz halt, auch wenn wir heute noch weiterziehen wollen. Eine Tasse Kaffee und eine Hand voll Kekse stehen immer bereit, wir zücken unseren Pilgerausweis zum Abstempeln und lassen zum Abschied eine kleine Spende zurück.

Hinter Manjarín führt uns links ein Abschneider für kurze Zeit weg von der Straße, auf der wir dann noch einmal etwas ansteigen müssen, was eher lästig als anstrengend ist. Nun aber geht's endgültig hinunter. Zwei weitere Abschneider folgen, der zweite leitet zum Schluss steil in das Dörfchen **El Acebo** (3 Std.). Unmittelbar vor dem Dorf stoßen wir wieder auf die Straße, der wir sowohl durch den Ort als auch danach weiter folgen. Nach etwa 2 km beginnt links ein Fußweg, der uns nach **Riego de Ambrós** bringt (3¾ Std.). Wir durchqueren es in einem Linksbogen und nehmen am Ortsende einen alten Pflasterweg, der durch ein herrliches Tal mit Bach und altem Baumbestand führt. Nach einer

*Stein-
mäuerchen
am Weg nach
Rabanal*

13

Wasser für Mensch und Tier: Weidebrunnen bei Foncebadón

kurzen Berührung der Landstraße biegen wir nach rechts ab. Auf einem schönen Fußweg können wir nun die noch fehlende Strecke bis nach **Molinaseca** zurücklegen. An den steilen, sonnenverwöhnten Hängen des Tales stehen dicht an dicht bis zu mannshohe Büsche, deren große, weiße Blüten im Frühsommer einen betörenden Duft verströmen: Es ist Oleander und er wächst an keiner anderen Stelle des Camino. Kurz vor Molinaseca kommen wir zur Landstraße zurück. Wir passieren die barocke Kapelle der Virgen de las Angustias, die rechts an die Felswand gebaut wurde (4³/4 Std., Brunnen), und überqueren dann links die romanische Brücke, die den Río Meruelo überspannt. Wenig später bummeln wir auf der Sirga durch das hübsche Städtchen. Die Pilgerherberge befindet sich am hinteren Ortsende, wir gehen dort bereits wieder neben der Landstraße. Das originelle Herbergsgebäude verfügt über ein weit vorgezogenes Dach, unter dem es sich in lauen Sommernächten herrlich draußen schla-

Mittelalterliche Küche in Foncebadón

Ein Restaurant der besonderen Art ist das La Taberna de Gaia in Foncebadón: Auf der Karte findet man mittelalterliche Gerichte! Es werden einfache und raffinierte, ungewöhnliche und auch vegetarische Speisen serviert (nicht zu vergessen die köstlichen Desserts!).

Fertige Zutaten sind verpönt, alles ist hausgemacht, und sogar das Wasser stammt aus der eigenen Quelle. Die Einrichtung des kleinen Speiseraums ist rustikal und einfallsreich, auch Wirtsleute und Bedienungen sind stilgerecht gekleidet.

Ein traditionelles Rundhaus im Vorgarten, Palloza genannt, vervollständigt das urige Ensemble (geöffnet von 12–20:30 Uhr, in der Nebensaison nur am Wochenende, Tel. 987 636 005 oder 616 585 143, Pilgerrabatt). Fazit: Lässt sich der Besuch einplanen, unbedingt hingehen!

13

fen lässt. Auch nach dem Ortsende bleiben wir links neben der breiten Straße auf einem Gehsteig. Bevor wir endgültig in das weite Becken des Bierzo hinuntersteigen, gilt es nun, noch zwei kurze Steigungen zu überwinden. Nach einer Linkskurve der Straße haben wir die erste schon geschafft und biegen gleich darauf – es geht schon wieder leicht abwärts – links auf einen Feldweg ab. Ponferrada, das wir jetzt vor uns im Blick haben, steuern wir nicht direkt an, sondern in einem Rechtsbogen, wodurch wir den großen Verkehrsströmen ausweichen. Wir wandern jetzt zwischen Weingärten, bei einer Weggabel entscheiden wir uns für die linke Route und nehmen an einem Hügelchen den zweiten Anstieg in Angriff. Abwärts gehen wir dann in den Ort **Campo** hinein (6 Std.).

Bei dem kleinen Platz (Plaza la Plazolica) ist es wichtig, gut auf die Wegführung zu achten, denn die Markierung ist leicht zu übersehen: Man wendet sich hier nach links, genauer gesagt, man geht links und dann gleich wieder rechts, um bald darauf den Ort zu verlassen. Nach einer knappen halben Stunde erreichen wir eine Landstraße, wenig später eine Hauptverkehrsstraße und sind schließlich nach Überquerung der Brücke über den Río Boeza in **Ponferrada** angekommen. Hier trennt sich der Weg zur Herberge

Der Río Meruelo in Molinaseca

Die alte Burg von Ponferrada

Im 13. Jh. bauten die Tempelritter die bis dahin bescheidene Burganlage in Ponferrada zu einer richtigen Festung aus und errichteten das heute als »alte Burg« bezeichnete Gebäude. Es ist von außen nicht zu sehen, die auffällige und in Fotografien üblicherweise abgebildete Vorderfront ist jüngeren Datums (15. Jh.). Trotz der Tatsache, dass die alte Burg eine Ruine ist, lohnt sich eine Besichtigung durchaus (Eintritt), da auch die Überreste erahnen lassen, um was für ein beeindruckendes Gebäude es sich früher gehandelt haben muss. Im ausgedehnten Festungsareal kann man allerlei Rundgänge machen, am schönsten ist es aber, einfach auf die Zinnen der alten Burg zu steigen und die wunderbare Aussicht auf Stadt und Umland zu genießen.

vom Camino. Die Pilgerherberge erreicht man, indem man der Hauptstraße folgt und nach der Überquerung einer Eisenbahnlinie zweimal kurz hintereinander rechts abbiegt: zuerst in die Avenida del Castillo und dann in die Calle de la Loma, an deren Ende sich die Herberge befindet (von Molinaseca aus kommt man auf der Straße ebenfalls hierher, was kürzer, aber auch verkehrsreicher ist). Der Jakobsweg leitet hingegen gleich in die Altstadt. Nach der Brücke wendet man sich links durch eine Eisenbahnunterführung und steigt dann kräftig bergauf in die Calle El Hospedal, die uns direkt zur Burg der Tempelritter führt (dort seitlich Touristen-Information und Pilgerbüro, 6³/₄ Std.).

Der Sagenhafte Orden der Tempelritter

Bis heute faszinieren uns die Geschichten um den Orden der Tempelritter, was eigentlich erstaunlich ist, denn er wurde vor beinahe 700 Jahren vollständig vernichtet. Die Gründung der Bruderschaft erfolgte um das Jahr 1120 mit dem Ziel, christlichen Pilgern im Heiligen Land das sichere Reisen zu ermöglichen. Die erste Niederlassung befand sich in Jerusalem nicht weit vom Tempel des Salomon – daher der Name Templer. Der Orden vergrößerte sich rasch, und zahlreiche Schenkungen im 12. Jh. sorgten für die Ansammlung beträchtlichen Grundbesitzes. Zwar waren die Unternehmungen der Templer im heiligen Land letztlich glücklos, in Europa agierten sie dafür umso erfolgreicher. In Spanien schufen sie in den von den Mauren zurückeroberten Gebieten neue, befestigte Ansiedlungen und förderten dort das wirtschaftliche und spirituelle Leben. Natür-

lich waren Schutz und Versorgung der Jakobspilger ebenfalls ein wichtiges Anliegen, wofür von den Rittern unter anderem ein florierendes Bankwesen betrieben wurde. Der Reichtum des Ordens weckte schließlich Begehrlichkeiten: Philipp der Schöne von Frankreich schaffte es durch geschicktes Intrigieren, die Ordensbrüder als Ketzer anzuschwärzen, was – ganz im Wortsinn – ihr Todesurteil bedeutete. Der schwache Papst Clemens V. konnte die Tempelritter nicht schützen und löste im Jahr 1312 den Orden offiziell auf. Beträchtliche Geldsummen flossen an die französische Krone, als die Johanniter schließlich die Ländereien der Templer in Frankreich übernahmen. Phillipp selbst hatte jedoch wenig von seinem Triumph: Er starb 1314, im selben Jahr, in dem der letzte Großmeister des Ordens, Jakob de Molay, auf dem Scheiterhaufen verbrannte.

14

Von Ponferrada hinauf nach O Cebreiro

Durch das schöne Bierzo nach Galicien: Ponferrada – Cacabelos – Villafranca del Bierzo – Vega de Valcarce – La Faba – O Cebreiro

Nach den kargen Ödflächen von Páramo und Maragatería durchwandern wir mit dem fruchtbaren Becken des Bierzo wieder eine üppigere Landschaft und erreichen schließlich die Pilgerstadt Villafranca del Bierzo. Dort beginnt unser langer Aufstieg ins schmucke Bergdorf O Cebreiro, Touristen- und Pilgertreff mit »Keltenflair«.

mittel

54 km

2–3 Tage

▶ **Tourencharakter:** Wegverlauf zu einem beträchtlichen Teil auf Teerstraßen, daneben Pisten und Fuhrwege; mehrere kurze An-/Abstiege bis Villafranca del Bierzo, dann langgezogener, zum Schluss steiler Aufstieg von 750 Hm nach O Cebreiro.

▶ **Ausgangspunkt:** Ponferrada (214 km).

▶ **Endpunkt:** O Cebreiro (160 km).

▶ **Einkehr:** An allen Orten am Weg außer Pieros und La Laguna.

▶ **Einkaufsmöglichkeiten:** an allen Orten am Weg außer Compostilla, Fuentes Nuevas, Pieros, Pereje, La Portela de Valcarce, La Faba, La Laguna.

▶ **Pilgerherbergen:** *Cacabelos:* Herberge neben der Kirche Las Angustias, am Weg, Tel. 987 547 167, 70 Plätze in Zweibettzimmern, geöffnet Mai–Oktober ab 12 Uhr, Waschmaschine und Trockner;
Villafranca del Bierzo: Gemeindeherberge, am Ortseingang vor der Santiago-Kirche, am Weg, Tel. 987 542 680, 60 Plätze, geöffnet Ostern–Oktober ab 12 Uhr, Küche, Waschmaschine und Trockner; Ave Fenix, Privatherberge der Familie Jato, am Ortseingang nach der Santiago-Kirche, am Weg, Tel. 987 540 229, 60 Plätze, ganzjährig geöffnet, Waschmaschine, Mahlzeiten/Bar (auch Queimada = galicische Feuerzangenbowle), im Sommer außerdem Zeltlager im Ort;
Pereje: schöne Privatherberge in einem alten, wieder hergerichteten Haus, im Ort am Weg, Tel. 987 542 670, 30 Plätze, ganzjährig geöffnet ab 12 Uhr, Küche, Waschmaschine und Trockner, schöner Garten;
Trabadelo: Gemeindeherberge beim Rathaus, am Weg, Tel. 629 855 487, 30 Plätze, ganzjährig geöffnet, Küche, Waschmaschine und Trockner;
Vega de Valcarce: Gemeindeherberge in der Calle Pandelo, Tel. 987 543 113, 84 Plätze (inkl. Matratzen), ganzjährig geöffnet (im Winter Schlüssel ggf. in der Bar Español), Küche, Waschmaschine; Privatherberge Sarracín, am Ortseingang, am Weg, Tel. 987 543 045, 48 Plätze, geöffnet ganzjährig ab 12 Uhr, Waschmaschine und Trockner, Mahlzeiten; Pequeño Potala, Privatherberge rechts oberhalb der Straße, Tel. 987 561 322, 34 Plätze, ganzjährig, Waschmaschine, Mahlzeiten;
La Faba: schöne Herberge der Jakobusgesellschaft Ultreia Köln, neben der Kirche, Tel. 987 689 563, 35 Plätze, geöffnet April–Oktober nachmittags, Küche;
La Laguna: einfache Privatherberge (nicht kommerziell) rechts am Ende des Dorfes, am Weg, 15 Plätze, geöffnet Juli und August, Küche;
O Cebreiro: Xunta-Herberge, am Ortsende am Weg, Tel. 660 396 809, 80 Plätze, ganzjährig geöffnet ab 13 Uhr, Küche, Waschmaschine und Trockner.

▶ **Tourist-Info:** 24540 Cacabelos, im Rathaus, Plaza Mayor 1, Tel. 660 396 809; 24500 Villafranca del Bierzo, Avenida Díez Ovelar 10, Tel. 987 540 028.

Der Wegverlauf

Anders als in Astorga ist der Jakobsweg in Ponferrada gut markiert. Wir schlendern zunächst durch die Altstadt, vorbei an der Basilika Nuestra Señora de la Encina und durch das Tor des Uhrturms zum Rathausplatz, wo wir uns links hinunter zum Río Sil wenden. Eine mit Eisen verstärkte Holzbrücke (»Pons ferratus«) über diesen Fluss gab der Stadt einst ihren Namen.

Kurz nach der Überquerung des Sil biegen wir rechts in die Calle Río Urdeales ab und erreichen, nachdem wir einen großen Parkplatz passiert sowie einen kurzen Anstieg hinter uns gebracht haben, die breite Avenida Huertas del Sacramento, die uns nach rechts aus der Stadt hinausleitet. Kaum haben wir Ponferrada verlassen, liegt nach einer Linkskurve schon der ruhige und angenehme Villenvorort **Compostilla** vor uns (1/2 Std.). Ein Durchgang im Gebäude der Stadtbibliothek, in dem sich auch die Bar befindet, bringt uns zur Kirche Santa María inmitten einer kleinen Parkanlage. Beim Vorbeigehen betrachten wir die großen Wandmalereien auf der Außenfassade der Kirche: Sie zeigen Szenen aus dem Pantheon der Könige in Léon.

Alleestraßen bringen uns zum Ortsrand, wo wir schon **Columbrianos**, die nächste Siedlung, im Blick haben. Nach Überquerung der N 631 gehen wir geradeaus weiter bis zur Hauptstraße, wobei wir an einem netten Rastplatz mit Brunnen vorbeikommen, an dem sich eine Pastelería befindet (auch sonntags geöffnet). Wir folgen der Hauptstraße ein kurzes Stück nach rechts,

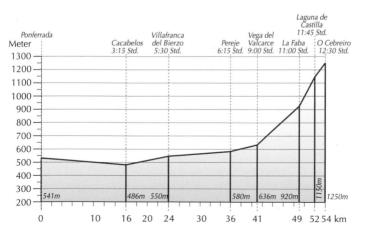

14 biegen bei einer Kirche wieder links von ihr ab und verlassen Columbrianos auf einem friedlichen Landsträßchen. Jetzt, wo wir die letzten Vororte von Ponferrada endgültig hinter uns gelassen haben, kommen wir endlich in den Genuss der reichen Bierzo-Landschaft: Gemüsebeete, Obstbäume und Gewächshäuser umgeben wohlhabende Dörfchen. Später, in den Hügeln bei Cacabelos und Villafranca del Bierzo, erfreuen ausgedehnte Weingärten das Auge. Bequem wandern wir

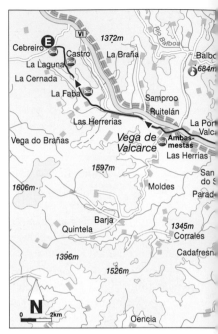

nun nach **Fuentes Nuevas**, das wir geradeaus durchqueren (1½ Std.), und erreichen wenig später **Camponaraya** (2 Std.). Dort stoßen wir auf die N 6, der wir nach rechts durch den Ort und danach weiter bis zu einer Tankstelle folgen, wo eine nach links aufwärts Richtung Cacabelos führende Kiespiste einsetzt. Jenseits eines Wäldchens und der Autobahn gelangen wir dann erneut auf freies Feld.

Ab hier dominiert nun der Weinanbau, und wir wandern zwischen Rebstöcken geradewegs auf den Ort zu. Kurz vor **Cacabelos** kreuzt die N 6 erneut unseren Weg, dann passieren wir bereits in Reichweite der ersten Häuser noch einen schönen, schattigen Rastplatz mit Brunnen und Unterstand (3¼ Std.). In dem Städtchen angekommen, halten wir uns immer geradeaus und treffen hinter dem Ortszentrum ein weiteres Mal auf die N 6, auf der wir erst einmal bleiben.

Nachdem wir zwei Brücken gequert haben, die beide den Río Cúa überspannen, kommen wir schließlich auch an der angenehmen Pilgerherberge der Gemeinde vorbei. Sie steht auf der

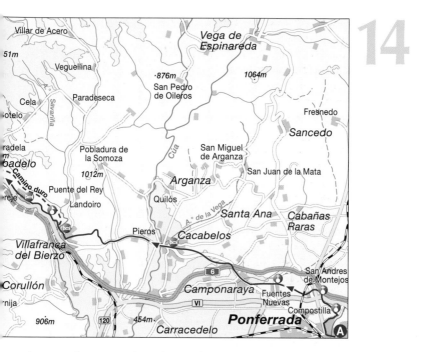

rechten Straßenseite neben der Kirche Las Angustias (18. Jh.), in der sich eine sehr ungewöhnliche Darstellung des Jesuskindes beim Kartenspiel befindet. Leider endet der Gehweg an der N 6 bei den letzten Häusern von Cacabelos, und wir haben keine andere Wahl, als direkt auf der Straße weiterzumarschieren, die aber zum Glück nicht allzu verkehrsreich ist.

Dafür wird das Wandern jetzt etwas mühsamer, denn im Gelände vor uns gibt's reichlich Hügel. Wir stapfen also kräftig aufwärts und passieren dabei das Dorf **Pieros** (4¹/₄ Std.). Etwa eine halbe Stunde später – wir gehen schon wieder bergab – trennt sich rechts eine Piste von der N 6, auf der wir das letzte Wegstück nach **Villafranca del Bierzo** zurücklegen.

Nachdem wir von der Straße abgegangen sind, kommen wir gleich an der Werkstatt eines Bildhauers vorbei. Die im Hof gelagerten Skulpturen passen in Form und Farbe fantastisch zur umliegenden Weinlandschaft – ein echter »Hingucker«!

Jetzt gilt es, noch einen weiteren Anstieg zu bewältigen, bevor wir kurz nach dem Ausflachen des Wegs Villafranca del Bierzo

14

sozusagen durch die Hintertür betreten. Die gute Gemeindeherberge ist eines der ersten Häuser im Ort, schön oben am Hang gelegen mit einer wunderbaren Aussicht auf die Stadt (5½ Std.). Gleich die nächsten Gebäude sind die romanische Santiago-Kirche sowie schräg dahinter die private Herberge. Das schön verzierte Nordportal der Kirche, an dem wir direkt vorbeigehen, wird als Puerta del Perdón (Tor der Vergebung) bezeichnet: Dank eines päpstlichen Privilegs erhielten kranke Pilger, die ihre Reise nicht mehr fortsetzen konnten, in den Heiligen Jahren bereits hier einen Erlass ihrer Sünden, wie er sonst nur am Apostelgrab gewährt wurde.

Durch das liebliche Valcarce-Tal nach O Cebreiro

Von den Herbergen aus halten wir zunächst auf die wuchtige Burg von Villafranca del Bierzo zu, um uns dort nach rechts hinunter Richtung Stadtzentrum zu wenden. Treppen und enge Gassen bringen uns noch weiter abwärts zur Brücke über den Río

Weinanbau im fruchtbaren Bierzo

Burbia, die mehr oder weniger das Ortsende markiert. Vor uns *Wiesen im* öffnet sich nun der enge Einschnitt des Valcarce-Tals, das hier *Valcarce-Tal* allerdings noch nicht über die eingangs versprochene Lieblichkeit verfügt, sondern im Wesentlichen von zwei Straßen beherrscht wird: Auf der N VI müssen wir laufen, und die Autobahn beeinträchtigt derweil unsere Aussicht. Letztere zieht aber wenigstens den Löwenanteil des Autoverkehrs auf sich, und so bleiben wir zumindest davon weitgehend verschont.

Sowohl vor **Pereje** als auch vor dem darauf folgenden Ort **Trabadelo** verlassen wir dann jeweils die N VI, um auf der Trasse der alten Talstraße diese Dörfer zu durchqueren (Gehzeit bis Trabadelo 2 Std., dorthin existiert auch eine Alternativroute, siehe S. 140). Hinter dem langgezogenen Trabadelo kommen wir abermals auf die N VI zurück und unterkreuzen hier erstmalig die Autobahn.

Zwei weitere Male werden noch folgen, da sich Autobahn und Nationalstraße jetzt beide im Zickzack durch das schmale Tal winden. Bei **La Portela de Valcarce** lassen wir die Nationalstraße nochmals kurz hinter uns, um in das Dorf hineinzugehen.

Wenig später verabschieden wir uns dann endgültig von ihr und gehen auf der alten Landstraße weiter (3 1/4 Std.). Je mehr wir uns nun dem Talende nähern, desto herrlicher wird die Landschaft. Dabei passieren wir ein idyllisch gelegenes Dörfchen nach dem anderen. Als Erstes erreichen wir nach ein paar Minuten **Ambasmestas** und nur wenig später dann den Hauptort des Tals, **Vega**

14

de Valcarce, der sich ähnlich wie Trabadelo über mehr als 1 km hinzieht (3½ Std., Privatherberge rechts am Ortseingang, Gemeindeherberge auf Höhe der Plaza Municipal etwa 50 m rechts oberhalb der Straße). Hinter **Ruitelán**, dem nächsten Ort auf unserer Route (4¼ Std.), müssen wir dann erstmals spürbar ansteigen. Wir nähern uns nun auch dem Ende des Tals, das sich hier etwas weitet und in einer herrlichen Wiesenlandschaft aufgeht. Beim Ortsschild von **Las Herrerías**, das erst hinter den ersten, verstreut liegenden Gebäuden aufgestellt wurde, verlassen wir schließlich die Landstraße und wenden uns nach links in das Dorf hinein (4½ Std.).

Zwischen Häusern, Wiesen und Valcarce-Bach schlendern wir noch einmal eben durch Las Herrerías und den Ortsteil Hospital Inglés. Ein paar Schritte hinter den letzten Gebäuden beginnt

Bildhauerwerkstatt vor Villafranca del Bierzo

14

schließlich der eigentliche Anstieg. Etwa 20 Minuten bleiben wir noch auf dem Fahrsträßchen, dann beginnt nach einer langgezogenen Rechtskurve links der alte, gepflasterte Pilgerweg. Schöner Laubwald spendet uns nun Schatten, während wir dem in einigen Kehren angelegten, teilweise sehr steilen Steig hinauf nach **La Faba** folgen. Dort ist gleich am Dorfanfang die Herberge rechts über einen kleinen Pfad ausgewiesen, während wir auf dem Camino geradeaus weitergehen (5 1/2 Std.). Auch nach La Faba müssen wir noch kräftig ansteigen.

Schließlich haben wir Bäume und Gebüsch des Hanges hinter uns gelassen und erreichen die Wiesenflächen des Bergrückens, wo wir nach allen Seiten eine herrliche Aussicht genießen können. Vor uns liegt nun **La Laguna**, der letzte (oder auch erste – je nachdem) Ort der Provinz Kastilien und León und daher auch

Auf den Spuren der Vergangenheit in O Cebreiro

Eine schön hergerichtete Palloza in O Cebreiro beherbergt das ethnografische Museum. Man kann sich dort darüber informieren, wie die Bewohner dieser Häuser früher lebten (Eintritt frei).

In der Kirche ist der »galicische Gral« zu besichtigen, von dem man sich folgende Geschichte erzählt: Ein einfacher Bauer hatte als einziger Gläubiger bei schlechtem Wetter den steilen Weg auf sich genommen, um die Messe zu hören. Der Priester hielt diesen Mann deswegen für einen Einfaltspinsel und dachte schlecht über ihn. Da verwandelten sich Hostie und Wein zu Fleisch und Blut (Pilgermesse im Sommer täglich um 20 Uhr, in der Kirche gibt's auch einen neuen Pilgerpass, sollte der alte inzwischen voll sein!).

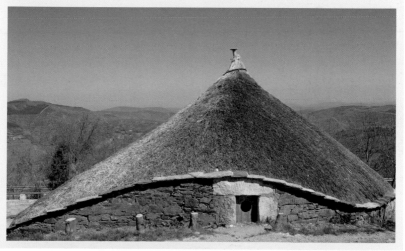

Alternativstrecke nach Trabadelo: Camino Duro

Um die Hauptroute entlang der N VI zwischen Villafranca del Bierzo und Trabadelo zu vermeiden, wurde eine sehr schöne und aussichtsreiche, wenngleich anstrengende Wegalternative geschaffen: der »Camino Duro« (harter Weg).

Hart ist der Weg deshalb, weil er über einen Höhenrücken verläuft und sowohl Auf- wie Abstieg ausgesprochen steile Passagen enthalten (Aufstieg: 430 hm, Abstieg: 350 Hm, Gehzeit 2³/₄ Std.). Für gute Geher ist es aber in jedem Fall die zu empfehlende Streckenführung. Der Anstieg rechts aufwärts beginnt sofort nach der Brücke über den Río Burbia in Villafranca del Bierzo, der Abstieg, der teilweise durch einen sehr schönen Esskastanienhain führt, endet direkt in Trabadelo.

häufig mit dem Zusatz »de Castilla« bezeichnet. Beim Durchqueren des Ortes (6¹/₄ Std.) fällt rechts am Weg schräg hinter einem Bauernhaus ein origineller Palloza auf Stelzen auf. Diese seit mehreren tausend Jahren bekannte Bauform kennen wir bereits vom Restaurant Gaia in Foncebadón. Meist sind es runde Steinhäuser (ursprünglich ohne Fenster) mit Strohdach. Heutzutage findet man diese Pallozas nur noch in einigen Dörfern der gebirgigen galicisch-leonesischen Grenzregion. Einige Prachtexemplare werden wir natürlich in O Cebreiro, dem kelti-

14

schen Vorzeigedorf, zu Gesicht bekommen. Erfreulicherweise ist es bis dorthin nun auch nicht mehr besonders weit und anstrengend.

Eine knappe halbe Stunde hinter La Laguna zeigt uns ein Grenzstein an, dass wir ab jetzt in Galicien sind und zudem nur noch 152,5 km bis Santiago vor uns haben – wenn das nicht ein Grund zur Freude ist! Diese Wegsteine werden wir in Galicien übrigens dauernd sehen, sie informieren uns kilometergenau über unsere Distanz zum Ziel (wobei wir nicht verschweigen wollen, dass aufgrund der derzeitigen Wegführung die Zählung nicht mehr ganz korrekt ist und wir daher kurz vor Santiago noch ein paar Extrakilometer hinter uns bringen müssen). Da sie auch Flurbezeichnungen tragen, stellen sie überdies eine wertvolle Orientierungshilfe dar, denn bei der Vielzahl der galicischen Dörfchen und Weiler kann man zwischendurch schon mal den Überblick verlieren.

Jetzt trennen uns noch 15 Minuten Gehzeit von **O Cebreiro**, das wir am normalerweise sehr belebten Dorfplatz erreichen (Gesamtgehzeit 7 Std., Pilgerherberge am Ortsende am Weg).

*Panorama-
blick vor
O Cebreiro*

15 Über Sarria nach Portomarín

Durch das galicische Hochland: O Cebreiro – Hospital da Condesa – Triacastela – Calvor – Sarria – Barbadelo – Ferreiros – Portomarín

Die Durchquerung des galicischen Hochlands ist pures Pilgervergnügen, denn die reich gegliederte und üppig grüne Landschaft mit ihren Dörfchen und Weilern lässt nie Langeweile aufkommen. Auf alten Fußwegen (»corredoiras«), die sich im Laufe der Zeit tief in den Boden eingegraben haben, schlendern wir von Ort zu Ort.

mittel

62 km

2–3 Tage

▶ **Tourencharakter:** Abwechslungsreicher Mix aus kleinen Teerstraßen, Pisten, Fahr- und Fußwegen, sehr verkehrsarm; stetes Auf und Ab mit vielen kleinen und mehreren langen Auf- bzw. Abstiegspassagen.

▶ **Ausgangspunkt:** O Cebreiro (160 km).

▶ **Endpunkt:** Portomarín (98 km).

▶ **Einkehr:** Liñares, Alto do Poio, Fonfría, Biduedo, Triacastela, Furela, Aguiada, Sarria, Barbadelo, Mercado da Serra, Morgade, Ferreiros, Mirallos, Portomarín.

▶ **Einkaufsmöglichkeiten:** Liñares, Alto do Poio, Triacastela, Sarria, Portomarín.

▶ **Pilgerherbergen:** *Hospital da Condesa:* Xunta-Herberge, am Ortseingang rechts, Tel. 660 396 810, 18 Plätze, ganzjährig geöffnet von 13–23 Uhr, Küche; *Alto do Poio:* Herberge, Tel. 982 367 172 (Bar), ca. 30 Plätze, ganzjährig geöffnet; *Triacastela:* gute und schön gelegene Xunta-Herberge, vor dem Ort links, Tel. 660 396 811, 56 Plätze, ganzjährig von 13–23 Uhr, Waschmaschine und Trockner; Privatherberge Aitzenea, Plaza Vista Alegre 1, Tel. 982 548 076 oder 944 602 236 (Reservierung möglich), 38 Plätze, geöffnet April–Oktober, Küche, Waschmaschine und Trockner; *Calvor:* Xunta-Herberge, am Weg,

Tel. 660 396 812 oder 982 531 266, 22 Plätze, ganzjährig von 13–23 Uhr, Küche, Waschmaschine und Trockner; *Sarria:* Xunta-Herberge, Rúa Mayor 79, Tel. 660 396 813, 40 Plätze, ganzjährig von 13–23 Uhr, Küche, Waschmaschine und Trockner; Privatherberge Casa Grande, Rúa Mayor 31, am Weg, Tel. 600 512 565, 40 Plätze, geöffnet März–Oktober von 11–23 Uhr, Küche, Waschmaschine und Trockner; *Barbadelos:* Xunta-Herberge, am Weg, Tel. 660 396 814, 18 Plätze, ganzjährig von 13–23 Uhr, Küche, Waschmaschine; *Ferreiros:* Xunta-Herberge, am Ortsende, Tel. 660 396 815, 22 Plätze, ganzjährig geöffnet von 13–23 Uhr, Küche; *Portomarín:* Xunta-Herberge, Rúa Fraga Iribarne, Tel. 660 396 816, 160 Plätze, ganzjährig von 13–23 Uhr, Küche, Waschmaschine und Trockner; *weitere Unterkünfte:* Folgende Häuser bieten auch Betten für Pilger an (Preisniveau etwa wie Herberge): *Biduedo:* Casa Quiroga & Mesón Betularia, am Weg, Tel. 982 187 299, 15 Plätze, ganzjährig geöffnet, Speisemöglichkeit; *Sarria:* Mesón Camiño francés, Rúa Mayor 19, am Weg, Tel. 982 532 351, 20 Plätze in Doppelzimmern, ganzjährig geöffnet (im Winter sonntags geschlossen), Speisemöglichkeit; *Barbadelo:* Casa de Carmen,

Tel. 982 532 294, 10 Plätze, ganzjährig, Speisemöglichkeit; preiswerte Zimmer in *Portomarín:* Bar Restaurante Perez, Plaza Aviación Española 2, von der Treppe geradeaus hoch, Tel. 982 545 040.

▶ **Tourist-Info:** 27600 Sarria, Rúa Mayor 14, am Weg, Tel. 982 535 000; 27170 Portomarín, Plaza Conde Fenosa, Tel. 982 545 303 oder 982 565 070.

Der Wegverlauf

Für diesen Wanderabschnitt bildet die Landstraße LU 634 unsere Richtschnur. Meist wandern wir neben oder auf ihr, erst in der Nähe von Triacastela verlieren wir sie dann langsam aus den Augen. Zunächst laufen wir von O Cebreiro auf besagter Landstraße zum Dörfchen **Liñares** (45 Min.). Hat man dort im Dorf nichts zu besorgen, so bleibt man am besten bis zum Alto de San Roque einfach auf der LU 634 und ignoriert ausnahmsweise die Markierungen, die erst nach rechts in den Ort und dann nach links auf einen ungünstig verlaufenden Seitenweg weisen. Auf der Passhöhe von **San Roque** (1 Std.), wo ein Metallpilger gegen die Unbilden des Wetters kämpft, verlassen wir dann allerdings die Straße und wandern rechts von ihr auf einem schönen Abschneider nach Hospital da Condesa, das wir nach einem kurzen Anstieg bergab erreichen. Wir durchqueren **Hospital** (1¼ Std., Pilgerherberge gleich rechts der Landstraße) und besichtigen am Ortsende noch die nette, kleine Dorfkirche. Die Tür steht meist *Das Hochland von Galicien*

15

offen, denn Pilgerbesuch (und eine kleine Spende) sind sehr erwünscht. Auf einem schmalen Kiesweg rechts neben der Straße lassen wir Hospital hinter uns und erreichen etwa 20 Minuten später eine Abzweigung, an der die Orte Sabugos und Temple ausgeschildert sind. Dort gehen wir rechts von der Landstraße ab und gelangen schließlich nach links über einen Feldweg in das nur aus ein paar Häusern bestehende Dörfchen **Padornelo**. Ein steiler, aber zum Glück nur kurzer Anstieg steht jetzt auf dem Programm. Dieser bringt uns auf den **Alto do Poio** hinauf, womit wir mit 1337 m nun endgültig den höchsten Punkt dieser Etappe erreicht haben (2¼ Std., hier Bar/Tienda und Herberge). Ab sofort dürfen wir uns auf einen gemütlichen Abstieg freuen. Auf bzw. neben der LU 634, an der wir hier oben wieder angelangt sind, steuern wir jetzt nach rechts **Fonfría** an. Der kleine Ort wird geradeaus durchquert (3 Std.), am Dorfende wählen wir dann den mittleren von drei Wegen. Parallel zur Landstraße wandern wir weiter, kreuzen diese schließlich und erreichen bald darauf **Biduedo** (3½ Std.). Die Ortsdurchfahrt wendet sich nach links von der Straße ab, auch im Dörfchen selbst halten wir uns links, womit wir die LU 634 hinter uns lassen. Am Nordhang der Sierra de Calderón steigen wir jetzt stetig abwärts und schneiden dabei eine große Schleife der Landstraße ab, auf die wir dann prompt beim nächsten Dorf – es heißt **Filloval** – wieder treffen (4¼ Std.).

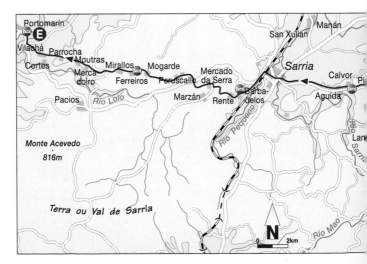

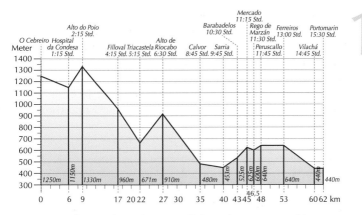

Wir queren die Straße, gehen parallel zu ihr weiter und kreuzen sie etwa 20 Minuten später bei einem Rastplatz erneut. Gleich darauf erreichen wir **As Pasantes** und wenig später **Ramil**, von wo aus man fast nahtlos nach **Triacastela** gelangt (5 1/4 Std.). Noch bevor wir die ersten Häuser des Ortes erreicht haben, kommen wir an der ansprechenden Pilgerherberge von Triacastela vorbei, links des Weges sehr schön in einer Wiese gelegen. In die Orts-mitte muss man von hier aus noch einige Minuten gehen. Dort finden wir dann auch die private Herberge rechts der Haupt-straße an der Landstraße.

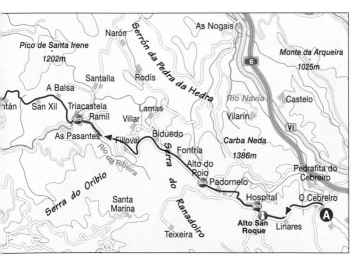

15 Von Triacastela nach Sarria

In Triacastela folgen wir der Hauptstraße immer geradeaus bis zum Ortsende, wo uns zwei große Wegweiser auf eine Abzweigung des Jakobswegs bis Sarria aufmerksam machen. Über San Xil und Calvor verläuft die landschaftlich und auch vom Weg her schönere Hauptroute. Sie ist zudem etwa 4 km kürzer als die vorgeschlagene Alternative über das Kloster von Samos, die zwar kunsthistorisch sehr attraktiv ist, aber leider zu einem großen Teil über Asphaltstraßen verläuft. Im Folgenden wird daher der Hauptweg beschrieben, auf dem wir Triacastela an dieser Stelle nach rechts verlassen, die Landstraße kreuzen und schräg gegenüber auf ein Teersträßchen einschwenken. Wir wandern jetzt in ein stilles, kleines Tal hinein und halten uns zunächst immer am Talgrund. Erst nachdem wir den Weiler **A Balsa** durchquert haben (25 Min.), steigen wir merklich aufwärts und gewinnen rasch an Höhe. Vorbei an einem Pilgerbrunnen, dessen große steinerne Muschel sich im dunklen Wasser des riesigen Beckens spiegelt, erreichen wir das Dorf **San Xil** und passieren es auf seiner rechten Seite (1 Std.). Die Straße, der wir nun folgen, führt auf den

Corredoiras: auf alten Wegen von Dorf zu Dorf

Saftige Wiesen vor Sarria

Alto de Riocabo hinauf, wir biegen aber ein kurzes Stückchen vorher nach rechts auf einen Feldweg ab und gehen so an der eigentlichen Passhöhe vorbei. Auf schönen Wegen schlendern wir aussichtsreich dahin, anstrengend ist es auch nicht mehr, denn es geht ja wieder abwärts. Alte Hohlwege leiten uns schließlich nach **Montán**, das wir aber nur kurz streifen, denn bei einer Wegteilung im Dorf wenden wir uns gleich wieder rechts ortsauswärts (2 Std.). Etwa 10 Minuten später erreichen wir das kleine Dörfchen Fontearcuda und stoßen danach auf die ruhige Landstraße, die Fontearcuda, Montán und all die anderen Dörfer und Weiler, die wir bis Sarria noch hinter uns lassen werden, verbindet. Wir schlängeln uns ab jetzt um diese Straße herum, gehen mal rechts, mal links von ihr. Hier bleiben wir nur für ein paar Schritte nach rechts auf dem Asphalt, dann biegen wir links in eine beeindruckende »corredoira« ein und schneiden damit eine Straßenschleife in ein abseits unserer Route liegendes Dorf ab. Wir gehen jetzt hinab in ein Bachtal, queren das Wasser auf Trittsteinen und erreichen dann leicht aufwärts wieder die Landstraße sowie das Dorf **Furela**. Am Ortseingang befindet sich zur linken eine schöne Bar mit freundlicher Bedienung, auch eine kleine Tienda gibt es dort (und mit etwas Glück einen feinen selbstgebackenen Kuchen, Gehzeit 2 3/4 Std.). Nach Furela hinein gehen wir links von der Teerstraße ab, kommen aber nach dem Dorf wieder zu ihr zurück. Etwa eine halbe Stunde später haben

15 wir schon den nächsten Weiler auf unserer Route, Pintín, hinter uns gelassen. Wir wandern hier zunächst wieder auf der Landstraße, biegen aber bald hinter **Pintín** rechts auf einen Feldweg ab. Eine gute Sicht auf Sarria eröffnet sich uns. Durch herrlichen Wald geht es jetzt abwärts und auf die Pilgerherberge von **Calvor** zu. Diese finden wir nicht weit von einem kleinen Kreisverkehr, in den unser schöner Waldpfad schließlich eingemündet ist. Wir laufen dort halblinks Richtung Sarria auf einem Weg parallel zur Landstraße weiter. Die Herberge auf der linken Straßenseite steht hier scheinbar völlig einsam in der Landschaft, tatsächlich ist der namensgebende Ort aber von unserem Standort aus nicht zu sehen (3 1/2 Std.). Wenige Minuten später erreichen wir das Dorf **Aguída**, in das wir halbrechts hineingehen. Hier gibt es kurz vor Sarria noch mal eine Einkehrmöglichkeit, die übrigens auch die einzige ist, die sich in akzeptabler Distanz zur Herberge von Calvor befindet: Es ist die Bar Taberna do Camiño links unseres Weges. Immer rechts der Straße entlang halten wir nun bequem und sanft abwärts gehend auf Sarria zu. Gut 10 Minuten hinter Aguída passieren wir rechts ein Grundstück, auf dem 2004 gerade eine neue Pilgerherberge errichtet wurde. Wenn wir schließlich die ersten Häuser von **Sarria** erreichen, halten wir uns zunächst weiter geradeaus (4 1/2 Std.). Bald kommen wir rechter Hand am Pilgerbüro der Stadt vorbei, das mit sehr netten Damen besetzt ist. Wir erhalten einen Stadtplan von ihnen, und die Herbergen werden eingezeichnet. Hier in Sarria ist auch letzte

Hausgemachte Spezialitäten auf dem Markt in Sarria

Abstecher zum Kloster Samos

Das Kloster zu Samos wurde bereits im 6. Jh. gegründet, womit es zu den ältesten Klöstern Spaniens zählt. Die heutige Anlage im Renaissance- und Barockstil stammt allerdings fast ausschließlich aus dem 16.–18. Jh. und beeindruckt vor allem mit zwei sehenswerten Kreuzgängen. Besichtigen sollte man im Samos außerdem die Zypressenkapelle im mozarabischen Stil aus dem 9. Jh.

(etwa 100 m gegenüber der Pilgerherberge). Einkehr- und Einkaufsmöglichkeiten auf dieser Alternativroute: San Cristobo do Real (Bar), Renche, Samos. Übernachtung: Pilgerherberge der Benediktiner in Samos, im Kloster an der Landstraße neben einer Tankstelle, Tel. 982 546 046 (Kloster), ca. 80 Plätze, ganzjährig geöffnet ab 15 Uhr, im Winter Schlüssel ggf. bei der Tankstelle.

Gelegenheit, sich einen Pilgerpass und damit den Status eines Fußpilgers zuzulegen, denn wie die Regel besagt, sind hierzu mindestens die letzten 100 km per pedes zurückzulegen. Die Stadt ist somit der letzte (große) Einstiegspunkt für Jakobspilger, was wir auch spüren werden: Die Zahl der Fußgänger auf dem Jakobsweg wird sich hinter Sarria beträchtlich erhöhen. Was die Übernachtungsmöglichkeiten betrifft, sollte man sich aber keine allzu großen Sorgen machen. Wenn man bis jetzt untergekommen ist, so wird man dies auch weiterhin schaffen. Bei den Neuankömmlingen handelt es sich nämlich hauptsächlich um Teilnehmer organisierter Pilgerreisen, die mit leichtem Gepäck, Bustransfer und vorgebuchten Hotels unterwegs sind. Von der Pilgerinformation laufen wir weiter geradeaus stadteinwärts und folgen dann der guten Markierung sowie den Bodenkacheln zuerst über den Río Sarria und schließlich eine Treppe hinauf in die Altstadt. Dort treffen wir auf die Rúa Mayor, in der beide Herbergen zu finden sind: Zur Pilgerunterkunft der Xunta wendet man sich nach der Treppe rechts (nach etwa 25 m auf der linken Straßenseite), zur privaten Herberge geht man geradeaus aufwärts weiter (nach gut 150 m auf der rechten Seite).

Von Sarria nach Portomarín

Von den Pilgerherbergen aus gehen wir die Rúa Mayor aufwärts bis zu einer Kirche, an der der Weg rechts abknickt. Unbebaute Flächen am Hang geben eine wunderbare Aussicht über Stadt und Land frei. Wir kommen an den Markthallen von Sarria vorbei, wo man sich an Markttagen früh beim Abmarsch noch preisgünstig und gut verpflegen kann. Mehrmals im Monat findet dort auch ein Viehmarkt statt, und falls man das Glück hat, an so ei-

15

nem Tag vorbeizukommen, sollte man es nicht versäumen, einen kurzen Blick hineinzuwerfen. Vor dem Friedhof biegen wir dann links ab (Achtung, man läuft hier gerne geradeaus vorbei!) und haben nach einem steilen Abstieg die Stadt schon verlassen. Entlang eines Bahngleises wandern wir nun auf einem sehr schönen Weg nach **Barbadelos**, das wir nach einem kurzen, kräftigen Anstieg durch einen Laubwald mit herrlichen alten Eichen betreten (3/4 Std.). Es besteht aus zwei Ortsteilen, und erst im zweiten befindet sich die Pilgerherberge. Sie liegt direkt an unserem Weg, gleich daneben unter ein paar Bäumen wirbt in den Sommermonaten ein »Caravan de Alimentación« mit Bocadillos, Getränken, Eis und einem Stempel. Wenig später passieren wir das Dorf **Rente** und erreichen anschließend **Mercado da Serra**, wo an einer Kreuzung eine Bar mit Tienda rechts ausgeschildert wird, während wir geradeaus weiterwandern (1 1/2 Std.). Eine Allee mit schönen alten Bäumen leitet uns jetzt zu einem Pilgerbrunnen, dessen steinerne Umfriedung von vielen Wanderern gern als Rastplatz genutzt wird. Auf einem malerischen Steg überqueren wir dann den Rego de Marzán und kreuzen die Landstraße C 535, an der sich rechts ein Restaurant mit ansprechender Terrasse befindet. Wenig später erreichen wir das Dorf **Peruscallo** (2 Std.). Ab hier wird es nun ein wenig unübersichtlich mit den vielen Dörfern und Weilern am Weg. Häuser und Gehöfte stehen in lockerem Abstand links und rechts am Weg, und man weiß nie so recht, in welchem Ort man sich eigentlich gerade befindet. Da aber keine Gefahr besteht, sich zu verlaufen, macht das gar nichts aus. Außerdem passieren wir jetzt bald einen wichtigen Orientierungspunkt: Es ist der Kilometerstein 100, der nach den Weilern Cortiñas, Lavandeira, Casal und Brea rechts während eines kurzen Anstiegs am Wegesrand steht. Er ist kaum zu übersehen, da er meist von einer Traube von aufgeregten Pilgern um-

Portomarín – alt und neu

Portomarín wird als »Pons Minee« bereits von Aymeric erwähnt, denn es gab hier einst eine wichtige Furt über den Río Miño. Gemeint ist damit natürlich der mittelalterliche Ort, der allerdings seit der Aufstauung des Flusses in den Tiefen des Sees ruht.

1956 wurde mit dem Bau der Staumauer begonnen, und man errichtete ein neues Portomarín oberhalb des alten, wobei man die Mühe auf sich nahm, die historischen Bauwerke Stein für Stein abzutragen und wieder zusammenzusetzen.

15

zingelt ist (3 Std.). Im darauf folgenden Ort **Mogarde** gönnen wir uns danach in der angenehmen Bar am Weg eine kleine Rast und genießen das Gefühl, unserem Ziel nun endlich so nahe zu sein. Im hier üblichen Auf und Ab geht es dann weiter nach **Ferreiros** (3 1/4 Std.). Auch hier befindet sich die Pilgerherberge erst im hinteren Ortsteil. Sie liegt nicht direkt am Weg, ist aber vom Restaurant Casa Cruzeiro aus bezeichnet. Der Camino leitet uns nun weiter durch die Orte **Mirallos** (Restaurant am Weg), Pena und Conto-Rozas (4 Std.). Ab hier geht es nun endgültig abwärts in das noch etwa 250 Hm tiefer gelegene Portomarín. An einem trockenen, sonnigen Südhang wandern wir jetzt erstmals durch Piniengehölz, weiter unten folgen dann auch Pinienforste, die gewohnter sind für unser Auge als die später allfälligen Eukalyptuswälder.

Wir passieren die Dörfer Moimentos, Mercadoiro und Moutras, die mehr oder weniger nahtlos ineinander übergehen. In letzterem finden wir links am Weg ein ungewöhnliches Automatenrestaurant unter freiem Himmel. Hinter Moutras treffen wir dann auf eine Landstraße, die im Zick-Zack zum Stausee hinunter-

Pilgergruppe auf dem Weg nach Portomarín

führt, während wir auf Abschneidern direkter ins Tal absteigen und die Straße in den Orten **Parrocha** (4 3/4 Std.) und **Vilachá** (5 Std.) jeweils nur kurz berühren. Steil steigen wir auf einem Teersträßchen das letzte Stück zum Wasser hinab, überqueren den See auf der langen Brücke und gehen die Treppen hoch in die Stadt **Portomarín**, wobei wir an einem Pilgerinformationsbüro vorbeikommen. Danach gehen wir bergauf an einer kleinen Grünanlage entlang, biegen rechts in die Rúa Xeral Franco ein und erreichen geradeaus das Stadtzentrum mit der romanischen Kirche San Juan und danach die Herberge (5 3/4 Std.).

16 Von Portomarín nach Arzúa

Ins galicische Tiefland: Portomarín – Palas de Rei – Melide – Arzúa

Auch in dieser Etappe säumen wieder zahllose kleine Dörfer unseren Weg. Die Landschaft ändert sich jedoch während unserer Wanderung ins galicische Tiefland: Sie wird weiträumiger und die Hügel flachen aus. Mächtige Palmen und üppige Blütenpracht in gepflegten Gärten erinnern an mediterrane Gefilde.

leicht

56 km

2–3 Tage

▶ **Tourencharakter:** Gute Pisten und Feldwege, stellenweise entlang stark frequentierter Straßen; viele kleine Höhenunterschiede.

▶ **Ausgangspunkt:** Portomarín (98 km).

▶ **Endpunkt:** Arzúa (42 km).

▶ **Einkehr:** Gonzar, Castromayor, Ventas de Narón, Ligonde, Eirexe, Lestedo, Palas de Rei, San Xulian, O Coto, Disicabo (an der N 547), Furelos, Melide, Boente, Castañeda, Ribadiso, Arzúa.

▶ **Einkaufsmöglichkeiten:** Palas de Rei, Melide, Boente, Arzúa.

▶ **Pilgerherbergen:** *Gonzar:* Xunta-Herberge, an der Landstraße, Tel. 660 396 817, 20 Plätze, ganzjährig geöffnet von 13–23 Uhr, Küche, Waschmaschine;
Hospital de la Cruz: Xunta-Herberge, Tel. 660 396 818, 22 Plätze, ganzjährig geöffnet von 13–23 Uhr, Küche, Waschmaschine;
Ventas de Narón: Privatherberge Casa Molar mit Bar und Restaurant, Tel. 696 794 507, 18 Plätze, ganzjährig geöffnet, Waschmaschine;
Ligonde: von amerikanischen Freiwilligen geführte Privatherberge, in der Ortsmitte, 17 Plätze, geöffnet Juni–September;
Eirexe: Xunta-Herberge, Tel. 660 396 819, 18 Plätze, ganzjährig geöffnet von 13–23 Uhr, Küche, Aufenthaltsraum mit Kamin;
Palas de Rei: Xunta-Herberge, gegenüber der Stadtverwaltung, Tel. 660 396 820, 60 Plätze, ganzjährig geöffnet von 13–23 Uhr, Küche,

Waschmaschine;
San Xulian do Camiño: sehr gepflegte Privatherberge O Abrigadoiro mit Bar und Restaurant, Tel. 982 374 117, 16 Plätze, geöffnet März–Oktober;
Ponte Campaña: Privatherberge Casa Domingo mit Bar und Restaurant, Tel. 630 728 864 (Reservierung möglich), 17 Plätze, geöffnet Ostern–Oktober;
Casanova: Xunta-Herberge, Tel. 660 396 821, 20 Plätze, ganzjährig geöffnet von 13–23 Uhr, Küche, keine Bar oder Einkaufsmöglichkeit in der Nähe;
Leboreiro: sehr einfache Herberge, 20 Plätze auf dem Holzboden, kaltes Wasser, kleine Küche;
Melide: schöne und gut eingerichtete Xunta-Herberge, Tel. 660 396 822, 130 Plätze, ganzjährig geöffnet von 13–23 Uhr, Küche, Waschmaschine;
Ribadiso: ausgezeichnete und schön gelegene Xunta-Herberge, Tel. 660 396 813, 62 Plätze, ganzjährig geöffnet von 13–23 Uhr, Küche, Aufenthaltsraum mit Kamin, Waschmaschine;
Arzúa: Xunta-Herberge, Tel. 660 396 814, 46 Plätze, ganzjährig geöffnet von 13–23 Uhr (im Sommer/bei Überbelegung kein Einlass für Pilger, die in Ribadiso übernachtet haben!), Küche.

▶ **Tourist-Info:** 27200 Palas de Rei, im Rathaus, Avenida di Compostela 28, Tel. 982 380 001; 15810 Arzúa, im Rathaus, Calle Santiago 2, Tel. 981 500 000.

16

Der Wegverlauf

Von der Herberge kehren wir zurück zum See, steigen jedoch nicht wieder bei der kleinen Grünanlage die Treppen hinab, sondern halten uns rechts entlang der Straße. Unten am Ufer nehmen wir die Fußgängerbrücke über einen Zufluss des Stausees auf die andere Seite, wo uns ein Sträßchen nach rechts sogleich den Hang hinaufführt. Nach etwa einer halben Stunde haben wir die nicht wenig befahrene C 535 erreicht, die uns nun für eine Weile begleitet, wobei wir hauptsächlich auf ihrer linken Seite wandern. Nach etwa einer Stunde erscheint der Ort **Toxibo** links am Hang, den wir aber nur an seinem unteren Rand streifen. Etwas oberhalb der C 535 wandern wir anschließend nach **Gonzar** (Bar und Pilgerherberge am Ortsende) und Castromaior (2 1/2 Std.). Danach geht es noch einmal zur C 535 zurück – zur Abwechslung laufen wir wieder einmal ein Stück auf der rechten Seite –, bis wir sie bei **Hospital de la Cruz** schließlich endgültig verlassen (3 Std.). Beim einladenden Restaurant Labrador im Ort teilt sich dann die Dorfstraße: links ist die Herberge ausgeschildert, rechts leitet der Camino auf einer Brücke über die vierspu-

Fußgänger-brücke am Stausee von Portomarín

16 Typisch für Galicien: Eukalyptuswälder

In Galiciens Tiefland wurden bis hin zur Küste allerorten Wälder mit schnell wachsenden Eukalyptusbäumen aufgeforstet, um Holz für die industrielle Nutzung zu gewinnen. Ökologisch ist diese von der EU subventionierte Maßnahme nicht unproblematisch, da Eukalyptus die Böden auslaugt und für einheimische Tierarten keinen Lebensraum bietet.

rige Schnellstraße N 540 und erneut nach rechts auf eine ruhige, kleine Asphaltstraße, auf der wir nun bis auf weiteres bleiben. Zwischen Wiesen und mit Heidekraut bewachsenen Hügelchen wandern wir jetzt angenehm nach **Ventas de Narón** (3¼ Std.) und **Ligonde**. Hier versorgen im Sommer an einem eigens aufgebauten Stand amerikanische Freiwillige aus der Herberge Pilger mit frischem Wasser und Kaffee. 2004 wurde am Ortsausgang im alten Schulhaus offenbar auch eine neue Xunta-Herberge eingerichtet. Ein Abschneider auf einem schmalen Pfad lotst uns dort nach links kurz von der Straße weg hinüber nach **Eirexe** (galicisch auch Airexe, 4 Std.). Auch bei der empfehlenswerten Bar Casa a Calzada, vor dem Ortseingang von **Lestedo** gelegen, waren 2004 Bauarbeiten an einem kleinen Herbergsgebäude hinten im schönen Garten im Gange (4¾ Std.). Eine gute halbe Stunde später, rechts am Weg haben wir gerade unsere erste

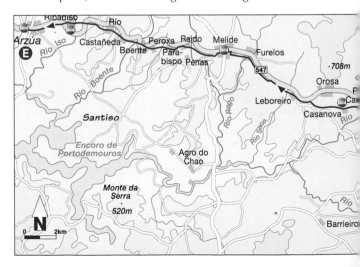

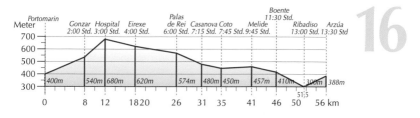

Eukalyptuspflanzung begutachtet, mündet unser Teersträßchen beim Restaurant Mesón a Brea in die N 547 und endet damit. Links der Nationalstraße marschieren wir jetzt auf einem Pfad weiter nach **Lamelas** und **O Rosario**. Dort biegen wir links auf einen Pflasterweg in den Ort hinein ab, passieren dann einen großen Jugendcampingplatz der Regierung von Galicien (Pilgerinformationsbüro, Rastplätze mit Brunnen) und erreichen bald darauf die ersten Häuser von **Palas de Rei** (6 Std.). Die Herberge liegt direkt an der Hauptstraße in der Ortsmitte, Einkaufs- und Einkehrmöglichkeiten befinden sich in unmittelbarer Nähe. Trotz des klangvollen Ortsnamens Königspalast« gibt es allerdings keine historischen Monumente am Ort und auch keine Dokumente, die darauf hindeuten, dass es hier je eine Königsresidenz gegeben hat. Die Herkunft dieses bereits von Aymeric verwendeten Namens ist also gänzlich unbekannt.

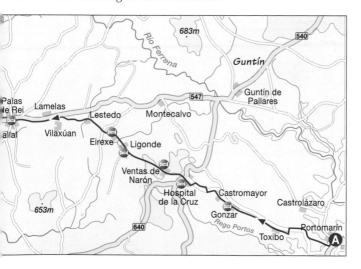

16 Von Palas de Rei nach Arzúa

Ein genussreiches Teilstück steht uns nun bevor, wenn von Stein-mäuerchen gesäumte Wege und Corredoiras zwischen Wald und Feld von Ort zu Ort führen. Zwar berühren wir immer wieder die N 547, aber erst direkt vor Arzúa hat der Schwerverkehr dann wieder absolute Vorfahrt. Zunächst aber müssen wir Palas de Rei verlassen. Bei der Herberge überquert man die Hauptstraße, geht die Rúa de Apóstol hinunter und überquert nochmals die sich in einer S-Kurve durch den Ort ziehende Avenida Santiago. Ein Pflasterweg führt uns zum Ort hinaus, bald finden wir uns jedoch wieder an der N 547. Vor dem Dorf **Carballal** verlassen wir die Nationalstraße dann zwar nach rechts aufwärts (20 Min.), kehren aber hinterher gleich wieder zu ihr zurück. Wenig später nehmen wir bei einem Autorastplatz einen Waldweg nach links unten und entfernen uns diesmal länger von der Straße. Der Weg leitet uns zunächst hinab durch ein Feuchtgebiet – Trittsteine helfen über das Wasser, und in den Wiesen hört man Froschgequake –

Natursteingarten auf einer alten Weidemauer

16

und dann wieder hinauf durch Wald nach **San Xulián** (45 Min.). In einem alten, wunderbar restaurierten Haus links an der Dorfstraße ist die sehr empfehlenswerte Pilgerherberge eingerichtet, in deren Bar man angenehm von klassischer Musik empfangen wird. Vorbei am alten Waschplatz beim Ortsausgang führen malerische Wege weiter nach **Ponte Campaña** (1 Std., Herberge am Weg), anschließend gelangen wir im Schatten alter Bäume auf einer der schönsten Corredoiras des ganzen Wegs nach **Casanova**. Dort am Ortsende findet sich rechts die Herberge, links eine Stempelstelle. In **Coto** erreichen wir schließlich wieder eine größere Landstraße (1¾ Std.). An diesem beliebten Pilgertreff sorgen gleich mehrere schöne Bars und Restaurants für das leibliche Wohl, darunter die gern besuchte Einkehr Die zwei Deutschen. Nach ein paar Schritten auf der Straße halten wir uns dann links und durchqueren **Leboreiro**. Über einen Bachlauf wandern wir auf einer Pflasterstraße hinüber in den Weiler Disicabo und nähern uns nach den letzten Häusern allmählich wie-

In Galicien oft zu sehen: Cruceiro am Pilgerweg .

Pilger-
herberge
am Fluss in
Ribadiso

der der N 547. Ein angenehmer Feldweg durch Heidelandschaft, von Pappeln gesäumt, bringt uns in die Gewerbegebiete von Melide. Dort hat der Orden vom Camiño de Santiago einen kleinen Rastplatz mit Brunnen eingerichtet und seine Mitglieder auf einem Gedenkstein verewigt. Den Vorort **Furelos** erreichen wir über eine schöne, alte Brücke (3 Std.), anschließend führt uns ein gepflasterter Weg an der Kirche vorbei durch den Ort, und wir kommen mehr oder weniger nahtlos nach **Melide**. Dort halten wir uns an der Hauptstraße links, laufen ein Stück auf dem Gehweg – hier befindet sich die Pulpería Ezequiel (siehe S. 160) – und wenden uns dann an einem größeren Platz mit Brunnen rechts und gleich wieder links auf die gepflasterte Rúa San Pedro. Am Stadtrand, kurz vor dem Anstieg hinauf zum Friedhof, ist rechts die Pilgerherberge ausgeschildert (3 3/4 Std.).

Hinter Melide erreichen wir bald wieder die Nationalstraße. Wir kreuzen sie, biegen bei einem Restaurant rechts ab, passieren erneut einen Friedhof und wandern dann durch Mischwald mit Nadelbäumen, Eukalyptus und anderen Laubbäumen weiter. Auf großen Trittsteinen balancieren wir schließlich über einen Bach und kommen kurz darauf in **Raido** an (5 Std.). Dort laufen wir ein Stückchen an der N 547 entlang, entfernen uns aber alsbald nach links Richtung **Parabispo**. Nach dem Dorf geht es geradeaus er-

16

neut in einen Eukalyptuswald, anschließend wandern wir zwischen Wiesen in die praktisch zusammengewachsenen Dörfer **Peroxa** und **Boente** (5½ Std., Brunnen in Boente). In Letzterem ist bei der Kirche die Nationalstraße zu überqueren, kurz nach dem Verlassen des Dorfes unterqueren wir sie noch mal. Danach spazieren wir in das Tal des Río Boente hinab (schöner Rastplatz, Brunnen einige Meter weiter), stapfen auf der anderen Talseite wieder hinauf, wo uns eine breite Teerstraße empfängt und nach **Castañeda** bringt (6 Std.). Beim blauen Telefonhäuschen hier im Ort wenden wir uns nach links, um wenig später nach Río zu kommen. Hinter Río gilt es, einen kleine Erhebung zu überwinden: Rauf und runter führt uns die Route durch Eukalyptuswald, die Nationalstraße wird mittels einer Überführung gekreuzt. Nach der hübschen Brücke über den Río Iso ist **Ribadiso** erreicht (7 Std.). Direkt am Fluss liegt wunderschön die gute Herberge des Ortes. Wer sich trotz dieses idyllischen Plätzchens zum Weitergehen entschließt, hält sich bei der Gabelung am Ortsausgang links, marschiert auf einer Teerstraße weiter aufwärts und unter-

*Die Stein-
brücke
vor Furelos*

16 Galicische Küche

Die Pulperia Ezequiel in Melide ist ein typisches Beispiel dieser Art von Restaurant, in dem ein galicisches Nationalgericht serviert wird: der Tintenfisch (= pulpo).

Wer dieses Gericht gerne mag oder kennen lernen möchte, ist hier rich-tig. In großen Kesseln am Eingang kochen die Pulpos und werden erst bei Bestellung zerteilt.

Den Tintenfisch holt man sich selbst am Kessel, Brot sowie andere Speisen und Getränke bekommt man am Platz serviert.

quert noch einmal die Schnellstraße. Ein kleiner Fußweg neben der N 547 bringt uns schließlich nach **Arzúa** (7 1/2 Std.). Bei der Pension Theodora halten wir uns links und gehen dann sofort wieder rechts in die Calle Cima de Lugar, in der sich die Pilgerherberge befindet. Von hier aus sind es nur noch wenige Schritte bis zum Hauptplatz des Städtchens. An dessen Ende biegt nach rechts die Rúa Ramon Franco ab, in der mehrere preisgünstige Hostals Zimmer offerieren.

Der Stadtplatz von Arzúa

Von Arzúa nach Santiago de Compostela

17

Am Grab des Apostels: Arzúa – Pedrouzo-Arca – Monte do Gozo – Santiago

Die letzten Kilometer liegen vor uns, Ungeduld treibt uns nun an. Wir sollten es uns aber nicht nehmen lassen, noch die eine oder andere schöne Corredoira gemütlich zu durchwandern und unsere Vorfreude ausgiebig zu genießen. Vom Monte do Gozo aus sehen wir schließlich unser Ziel, und eine lange Reise geht zu Ende.

▶ **Tourencharakter:** Meist Nebenstraßen und Pisten; wenige kurze Auf- und Abstiege.

▶ **Ausgangspunkt:** Arzúa (42 km).

▶ **Endpunkt:** Santiago de Compostela (0 km).

▶ **Einkehr:** Calle (Bar mit Lebensmittelverkauf), Salceda, Brea, O Pino, Rúa, Pedrouzo-Arca, San Antón, Amonal, San Paio, Labacolla, Monte do Gozo.

▶ **Einkaufsmöglichkeiten:** Pedrouzo-Arca, Amonal.

▶ **Pilgerherbergen:** *Santa Irene:* Xunta-Herberge, an der Landstraße, Tel. 660 396 825, 36 Plätze, ganzjährig geöffnet von 13–23 Uhr, Küche; sehr gepflegte Privatherberge am Ortseingang, in der Nähe der Kirche, Tel. 981 511 000, 15 Plätze, ganzjährig geöffnet, Waschmaschine, Mahlzeiten; *Pedrouzo-Arca:* Xunta-Herberge, Tel. 660 396 826, 120 Plätze, ganzjährig geöffnet von 13–23 Uhr, Küche, Aufenthaltsraum mit Kamin, Waschmaschine und Trockner;

Monte do Gozo: Herberge des Europäischen Pilgerzentrums, Tel. 981 584 817 oder 981 558 942, bis zu 800 Plätze, ganzjährig geöffnet, Restaurants, weitere Infos im Text; *Santiago de Compostela:* einfache Herberge im Seminario Menor de Belvis, Tel. 981 589 200 oder 981 562 419, 268 Plätze, ganzjährig geöffnet von 11–23 Uhr, im Sommer 11–24 Uhr, Aufenthalt bis zu 3 Nächte; Acuario, Privatherberge am Stadtrand, Rúa Estocolmo 2, Tel. 981 575 483, 50 Plätze, ganzjährig geöffnet von 9–23:30 Uhr, Waschmaschine; *weitere Unterkünfte:* in Santiago zahlreiche preisgünstige Hostals, vor allem im südlichen Bereich der Altstadt.

▶ **Tourist-Info:** 15705 Santiago: Information der Xunta de Galicia, Rúa de Vilar 43, Tel. 981 584 081; Information der Stadt Santiago, Rúa de Vilar 47, Tel. 981 555 129; Pilgerbüro, Rúa de Vilar 1, erster Stock, geöffnet von 9–21 Uhr, Ausstellung des Pilgernachweises.

leicht

42 km

1–3 Tage

Der Wegverlauf

An der Herberge von Arzúa setzen wir unseren Weg geradeaus Richtung Westen fort. Bei einem kleinen Platz mit Kreuz und Blumenschmuck halten wir uns links und verlassen den Ort auf einem Pflasterweg. Herrliche alte Eichen stehen hier am Wegesrand, sie sind eine willkommene Abwechslung zu den immer häufiger werdenden Eukalyptusplantagen. Ein ansprechender

17

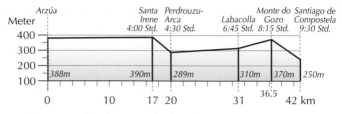

| | Arzúa | | Santa Irene 4:00 Std. | Perdrouzu-Arca 4:30 Std. | | Labacolla 6:45 Std. | Monte do Gozo 8:15 Std. | Santiago de Compostela 9:30 Std. |

Meter
400
300
200
100

388m · 390m · 289m · 310m · 370m · 250m

0   10   17 20   31   36,5   42 km

Weg leitet uns durch ein Bachtal nach **Pregontoño** ($^1/_2$ Std.), anschließend erreichen wir mittels einer Unterführung die rechte
Seite der Nationalstraße und den Ort **Cortobe**. Der Camino verläuft nun abseits der Verkehrsströme auf Corredoiras durch die
kleinen Weiler Peroxa, Tabernavella und A Calzada, auch in
Calle ($1^3/_4$ Std.) bleiben wir der N 457 fern. Die gute Markierung
führt uns durch die verwinkelten Gassen, vorbei an urigen Steinhäusern und Hórreos, einmal sogar unter einem besonders schönen Exemplar, das quer über die Pflasterstraße gebaut wurde,
hindurch. Rechts verlockt die Bar der Tante Dolores (»Tía Dolores«) mit einem kleinen Wirtsgarten zur Rast, bevor uns ein Steinsteg bei einer Furt trockenen Fußes aus dem Ort hinausbringt.
Wir folgen nun nicht mehr der Straße, sondern halten uns halbrechts auf einem Kiesweg. Wieder säumen kleine Weiler und Gehöfte unseren schönen und ruhigen Weg, der sich aber schließlich bei **Salceda** der N 547 nähert ($2^3/_4$ Std.). Zunächst bleiben wir
rechts von ihr, wechseln aber bei einer Verkaufsstelle für landwirtschaftliche Geräte nach links, marschieren durch einen Weiler und werden dann noch vor **Brea** ($3^1/_4$ Std.) wieder auf die
rechte Seite geleitet. Dort im Dorf stoßen wir auf eine Teerstraße,
auf der wir zunächst nach links abbiegen, um dann nach ein
paar Metern schon wieder nach rechts weiterzugehen
(auf Markierungen achten!). 5 Minuten später sind wir in
Rabiña angekommen, nach weiteren 5 Minuten dann
zurück an der Nationalstraße. Ein schmaler Kiesweg parallel zu ihr steht uns hier nur kurze Zeit zur Verfügung,
bis wir bei einem roten Windrad erneut die Seite wechseln. Dieses Windrand treibt übrigens die Pumpe des ersten Trinkwasserbrunnens seit Arzúa an (Rastplatz). Nur
wenige Schritte trennen uns hier noch vom Straßendorf
O Pino, links und rechts der N 547 gibt es je eine Bar.
Danach dürfen wir nach links auf der alten Straßentrasse

in den Wald hineingehen, um auf ihr **Santa Irene** zu erreichen (4 Std.). Am Ortseingang kommen wir an der privaten Herberge vorbei, halten geradeaus wieder auf die Nationalstraße zu, queren diese und biegen dann links ab. Hier, bei einem Rastplatz mit Unterstand und Brunnen, finden wir auch die Xunta-Herberge. Wenig später vollführt die Nationalstraße eine Schleife nach links, die wir abschneiden, indem wir geradeaus in einen Eukalyptuswald hineingehen. Bald kreuzen wir aber die N 547 erneut und erreichen auf der anderen Seite den Ort **Rúa**. Kurz vor **Pedrouzo-Arca** kommen wir schließlich wieder zur N 547 zurück. Zur Übernachtung in der dortigen Herberge oder auch nur zu einer kurzen Rast folgt man der Schnellstraße nach links (4½ Std., ca. 500 m bis zur Herberge links am Ortseingang). Andernfalls überquert man die Nationalstraße und geht geradeaus auf einem Waldweg in einen Eukalyptusforst hinein.

Von Pedrouzo-Arca nach Santiago

Bereits vor San Antón trifft der direkte Weg wieder mit dem (anderen, ebenfalls markierten) von der Pilgerherberge zusammen. Ein großes Fabrikgebäude wird umrundet, danach wenden wir uns bei einer Einmündung nach rechts in den Wald, wobei wir noch eine Bar mit Buchhandlung passieren. In **Amonal** (¾ Std.) ist links ein Supermarkt ausgeschildert, übrigens die einzige Einkaufsmöglichkeit bis Santiago. Einige Minuten später kreuzt der Camino die N 547 (Vorsicht, schlecht einsehbar!), südlich von ihr wandern wir auf einem wunderbaren Hohlweg in den nächsten Weiler und dann -- weniger schön – am Gelände des Flughafens von Santiago entlang. Bei dem großen Kreisverkehr Cruce de Cas-

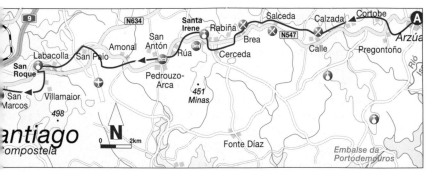

trofeite, an dem zwei Nationalstraßen aufeinander treffen, gehen wir links parallel der Schnellstraße weiter und passieren die Gemeindegrenze von Santiago. Entlang des Flughafenzauns gelangen wir zur Abzweigung nach **San Paio** (auch Sampaio, 1¾ Std.). Ab hier sind neue Kilometersteine aufgestellt worden, die die tatsächliche Entfernung nach Santiago anzeigen: 13 km haben wir nun noch vor uns. An der Kirche vorbei durchmessen wir das Dorf und ziehen weiter nach **Labacolla** (auch Lavacolla, 2¼ Std.). Dieser Name bedeutet (in etwas freier Übersetzung) »Wasch den Hals« und erinnert an die Sitte, dass sich die Pilger nach monatelangem Reisen unter entsprechend üblen hygienischen Bedingungen hier am Bach wuschen und frische Kleider anzogen, um so reinlich wie möglich in Santiago anzukommen. Der Camino macht hier eine kleine Schleife, denn wir wandern zunächst zur Kirche San Roque und kehren dann in Gegenrichtung zurück bis zum Sträßchen nach Villamaior. Die kleine Straße führt nach Süden erst zum Bach, dann über eine Holzbrücke und auf der

Angenehm an heißen Tagen: schattige Hohlwege

anderen Seite in die Hügel hinauf. Nun folgt der letzte Anstieg, den wir zu bewältigen haben, doch dieser zieht sich auch hinter Villamaior (2 3/4 Std.) noch etwas hin, bis wir auf dem Kamm der Hügelkette endlich einige Zeit auf gleicher Höhe wandern können. Das Studio Santiago des galicischen Fernsehens hat hier seinen Sitz, die Antennen sieht man schon von weitem. Im Ort **San Marco** halten wir uns zunächst rechts, um nur wenig später wieder links der Ausschilderung Monte do Gozo zu folgen (3 3/4 Std.). Auf dem »Berg der Freude« öffnet sich schließlich der Ausblick auf Santiago. Früher war derjenige Pilgerkönig, der als Erster die Türme der Kathedrale ausfindig machen konnte. Heutzutage schaffen es auch besonders scharfe Augen kaum noch, den Dunst der Großstadt zu durchdringen, abgesehen davon, dass die Türme nicht mehr die einzigen hohen Gebäude sind. Den Eingang zur Herberge passieren wir, nachdem wir schon wieder einige Minuten talwärts gewandert sind. Die Massenunterkünfte wurden anlässlich des Papstbesuchs von 1989 erbaut, mehr als 3000 Besucher finden hier Platz, speziell für Pilger stehen dabei bis zu 800 Betten zur Verfügung (die erste Nacht ist gratis, man kann auch mehrere Tage bleiben). Trotz des nahen Ziels übernachten viele Pilger hier, um am nächsten Tag frisch und ausgeruht nach Santiago zu spazieren. Übrigens gibt es von hier auch eine Busverbindung in die Stadt, die wir aber keinesfalls nutzen sollten, um uns die letzten Kilometer zu schenken: im Pilgerbüro verweigert man uns sonst womöglich die »Compostela«. Mindestens einmal muss also jeder die Teerstraße zu Fuß nach **Santiago** hinunterwandern. Unten knickt diese dann nach rechts ab, und wir nehmen geradeaus die Treppe hinunter zur Hauptstraße. Hinter der großen Autobahnbrücke kommen wir zuerst an einer kleinen Touristeninformation vorbei und folgen danach den guten Ausschilderungen, die uns entlang einer Ausfallstraße in Richtung Zentrum leiten. Der Weg wird wieder angenehmer, wenn wir die breite Straße nach links in die Rúa do Valiño verlassen haben. Nach ein paar Schritten weist uns ein Schild auf die private Herberge Acuario hin, die man erreicht, wenn man hier beim Hostal San Lázaro nach links abbiegt. In einer leichten S-Kurve gehen wir nun abwärts zu einer Kreuzung (hier geht es nach rechts in die Rúa de Rodríguez Viguri zum Busbahnhof!) und geradeaus weiter in die Rúa Dos Concheiros, die bald zur

17

*Volks-
musikanten
in Tracht,
lebendige
galicische
Tradition*

Rúa de San Pedro wird und uns auf die Praza de San Pedro führt. Wer zunächst zur Herberge will, biegt hier scharf links ab in die Calzada de San Pedro und Rúa de Belvis und kommt so nach wenigen Minuten ans Ziel. Geradeaus, am Ende der Rúa de San Pedro, stoßen wir jetzt auf einen Platz mit dem bedeutungsvollen galicischen Namen Porta do Camiño, also »Tor des Camino«. Hier betreten wir die Altstadt und werden auf direktem Weg zur Kathedrale geführt. In der Ruela das Animas werfen wir einen Blick auf die im Fegefeuer brennenden Seelen rechts oben an der Kirchenfassade, dann sind wir schon auf der Praza de Cervantes und erreichen von dort die Praza da Inmaculada (5 Std.). Hier liegt sie vor uns, die Kathedrale von Santiago, das Ziel der Pilgerfahrt und die spirituelle Vollendung der Reise. Jahrhundertelang haben hier die Pilger die Kathedrale betreten und Gott für ihre glückliche Ankunft gedankt. Wir sollten es ihnen jetzt gleichtun.

Santiago de Compostela

Das Santiago von heute hat viele Facetten: Einerseits ist es ein religiöses Zentrum und beherbergt bedeutende Kunstschätze, andererseits ist es auch eine lebendige Universitätsstadt mit regem Nachtleben. Es wäre daher fast schade, hier nicht einige Tage zu

17

verweilen, besonders nach so langer Anreise. Eine ausführliche Darstellung der Stadt, ihrer Kirchen und Museen, Traditionen und Geschichte sprengt den Rahmen dieses Buches, einige Anregungen für die eigene Entdeckungsreise möchten wir aber dennoch geben.

Mit einem Quartier in der Altstadt ist man natürlich näher am Geschehen als bei Übernachtung in den Herbergen. Informationen über preisgünstige Hostals und Pensionen sowie einen Stadtplan bekommt man in der Tourist-Info in der Rúa de Vilar. Von der Südseite der Kathedrale führt diese Pflasterstraße als Fußgängerzone durch die Altstadt.

Dort, gleich im ersten Haus links, befindet sich im ersten Stock das Pilgerbüro, in dem man bei Vorlage des Credencials die Bestätigung der Pilgerfahrt »Compostela« erhält. Im Erdgeschoss kann man zur Organisation der Heimreise Bustickets für eine Reihe von Zielen in Europa erwerben. Zusammen mit der Paral-

Palmenpracht im galicischen Unterland

17

lelstraße Rúa do Franco ist die Rúa de Vilar die Flaniermeile für Touristen. Besonders im südlichen Bereich bei der Porta de Faxeiras findet man viele Restaurants mit dem landestypischen Angebot von Meeresfrüchten.

Einen wunderbaren Blick auf die Fassade der Kathedrale kann man übrigens genießen, wenn man von hier auf dem Paseo de Ferradura in den nahegelegenen Park spaziert. Die Rúa do Franco führt uns zurück zur Kathedrale und auf den Hauptplatz Praza do Obradoiro.

Die Kathedrale selbst ist im Kern romanisch, ihre prachtvolle Fassade wurde allerdings erst im 18. Jh. hinzugefügt. Hinter ihr verbirgt sich der romanische Pórtico de la Gloria, ein Werk von Meister Mateo. Im Hauptbogen thront Christus als Weltenrichter, insgesamt schmücken über 200 Statuen das Portal. Dahinter finden wir in der Mittelsäule über dem Stammbaum Jesu eine Darstellung des hl. Jakob, der hier die Pilger empfängt. Nach altem Ritus legen sie ihre Hand in die Vertiefungen der von ungezählten Vorgängern ausgehöhlten Griffe an der Säule. Eine weitere Tradition ist die Umarmung der Apostelstatue, die sich über dem prachtvollem Grab am Ende des Hauptschiffes befindet. Hier, an der Ostseite der Kirche, sehen wir auch die Heilige Pforte. Sie wird nur in Heiligen Jahren geöffnet, sonst ist sie zugemauert.

Mehrmals täglich werden Pilgermessen abgehalten, die aufgrund ihrer internationalen Besucherschar, der besonderen Stimmung und der oft sehr großen Teilnehmerzahl nicht mit regulären Gottesdiensten vergleichbar sind.

Wenn man im Pilgerbüro angibt, wann man die Messe besuchen möchte, wird man bei der Begrüßung der Pilger zu Beginn der Feier

Restaurants in Santiago de Compostela

17

Allen, die nach reichlich genossenen Pilgermenüs etwas Abwechslung auf dem Speiseplan suchen, seien in Santiago zwei Lokale empfohlen: Das Restaurant Nobis in der Rúa de Vilar 47 (gleich in der Nähe der Tourist-Info) bietet leichte, internationale Küche in angenehmem Ambiente ohne Touristenkitsch.

Gegenüber der Porta do Camino liegt das vegetarische Restaurant Cabaliño do demo, in dem klassische Rezepte galicisch interpretiert werden. Das Ergebnis sollte man sich nicht entgehen lassen. Auch die Süßspeisen dort sind eine Sünde wert. In beiden Restaurants kann man zu vernünftigen Preisen essen.

ebenfalls erwähnt. Ein wahrhaft spektakuläres Ende findet die Messe, wenn der »Botafumerio«, das über einen Zentner schwere Weihrauchgefäß, von den Messdienern an einem langen Seil hoch hinauf und über die Köpfe der Pilger hinweg geschwungen wird. Diese beeindruckende Zeremonie findet allerdings nur zu besonderen Anlässen statt.

Die Kathedrale von Santiago de Compostela

18 Von Santiago de Compostela nach Fisterra

Zum Kap am Ende der Welt: Santiago – Negreira – Olveiroa – Cée – Corcubión – Fisterra

Nur knappe 100 km trennen uns in Santiago noch von Fisterra, dem antiken »finis terrae« und damit von dem Punkt, den man früher für das Ende der Welt hielt. Zwar ist die christliche Pilgerfahrt offiziell in Santiago beendet, doch zieht es immer mehr Pilger in den malerischen Küstenort an den äußersten westlichen Zipfel Europas.

anspr.

91 km

3 Tage

▶ **Tourencharakter:** Meist auf ruhigen Nebenstraßen und Pisten; regelmäßige An- und Abstiege mit geringen Höhendifferenzen.

▶ **Ausgangspunkt:** Santiago.

▶ **Endpunkt:** Fisterra.

▶ **Einkehr:** Ventosa, Aguapesada, Trasmonte, Ponte Maceira (Restaurant, nicht ganz billig!), Negreira, Zas, A Pena, Vilaserio, Maroñas, Olveiroa, Hospital, ab Cée zahlreiche Bars/Restaurants.

▶ **Einkaufsmöglichkeiten:** Negeira, Olveiroa, ab Cée in allen Orten.

▶ **Pilgerherbergen:** *Negreira:* schöne Gemeideherberge etwas südlich des Ortes in der Nähe der Kirche San Xulián, Tel. 981 885 385 oder 606 280 202, 33 Plätze, ganzjährig geöffnet, Küche, bei guter Belegung Abendessen (Bestellung bis ca. 18 Uhr, empfehlenswert!);
Vilaserio: Notschlafplätze am Boden im alten Dorfschulhaus, ca. 500 m hinter dem Ortsausgang, keine Duschen, Schlüssel beim Nachbarn gegenüber (Haus Nr. 39), ggf. Auskunft in der Bar;
Olveiroa: schöne Gemeindeherberge in sorgfältig renovierten alten Gebäu-

den, Tel. 658 045 242 (privates Mobiltelefon von Puri), 34 Plätze, von Freiwilligen aus dem Ort geführt, ganzjährig geöffnet ab 17 Uhr, Küche, Abendessen;
Cée: einfache Gemeindeherberge, Tel. 981 747 411, 14 Plätze, vom lokalen Zivilschutz betrieben, ganzjährig geöffnet;
Fisterra: Gemeindeherberge in der Calle Real 2, Tel. 981 740 781, 24 Plätze, ganzjährig geöffnet von 10–22:30 Uhr, Küche, Waschmaschine;
weitere Unterkünfte: Negeira: Hotel Tamara, Avenida de Santiago, Tel. 981 885 201; Hospedaje Mezquita, Rúa Carmen 2 (Zentrum), Tel. 981 881 652; bis Cée keine weiteren privaten Unterkünfte, ab dort zahlreiche Hotels in allen Küstenorten;
Fisterra: Hospedaje Lopez, im Ort rechts des Camino, Tel. 981 740 449, preisgünstige Zimmer mit schönem Ausblick, Etagendusche; zahlreiche weitere Hotels in der Innenstadt.

▶ **Tourist-Info:** 15830 Negeira, Rúa Carmen 3, Tel. 981 885 250 oder -550; 15155 Fisterra, Calle Santa Catalina 1, Tel. 981 740 781, außerdem Information in der Herberge.

Der Wegverlauf

Unser Ausgangspunkt für die Wanderung ans Meer ist die Praza do Obradoiro vor der Kathedrale in Santiago. An der Nordseite des Platzes beim Parador-Hotel führt die kleine Straße Rúa das

Hortas stadtauswärts. Eine verkehrsreiche Querstraße wird gekreuzt, auf der anderen Seite geht es ruhiger immer dem Straßenverlauf folgend zu einer Grünanlage. Dort wenden wir uns halbrechts durch den Park und entlang der Festungsmauer in ein Tal,
wo wir bei einem alten Fabrikgebäude den Bach überqueren (Lugar de Puente Sarela). Wir halten uns links und bleiben in der
Nähe des Baches, bis sich unser Weg zu einem idyllischen Pfad
verengt. Auf ihm gelangen wir zu einer Teerstraße, an der wir
links abbiegen. Bei der nächsten Gabelung unbedingt den linken, oberen Weg nehmen und ab sofort genau auf die Markierungen achten! Um die Landstraße zu vermeiden, wurde die
Wanderroute nämlich ab diesem Punkt über ein Gewirr von
Wald- und Nebenwegen gelegt. Auf Teerstraßen wandern wir
schließlich nach **Carballal** (1½ Std.) und von dort leicht ansteigend in den Nachbarort **Quintáns** (2 Std.). An der Durchgangsstraße von Quintáns – die Bar hier öffnet leider erst spät am Tag –
wenden wir uns links und sofort wieder nach rechts in den Talgrund des Baches Roxos, den wir am Waldrand auf einer Brücke
überqueren. Zunächst auf Asphaltstraßen, dann auf einem Waldweg umrunden wir den nächsten Weiler, gelangen aber gleich in
der Nähe des Restaurants Alto do Vento auf die Landstraße
zurück und marschieren auf ihr noch ein kurzes Stück bis nach
Ventosa (2½ Std.). Am Bushäuschen leitet man uns nach rechts,
vermutlich um sicherzustellen, dass wir am durchaus empfehlenswerten Café/Restaurant O Camiño do Castelo vorbeikom-   *Das Stadttor*
men. Bald kreuzen wir nochmals die Landstraße und wandern   *von Negreira*

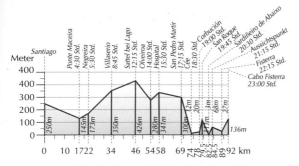

auf einem Feldweg weiter, der uns jedoch schnell wieder bogenförmig zur Straße zurückführt. Schnurgerade geht's nun ins Tal und über zwei Brücken nach **Aguapesada** (3 Std.). Vor der scharfen Rechtskurve der Landstraße entfernen wir uns nach links von ihr und verlassen den Ort auf einem schönen Waldpfad, der uns nun zum Teil kräftig ansteigend Richtung Carballo bringt. Kurz vor diesem Weiler müssen wir zurück auf die Landstraße und wandern immer auf und ab über **Trasmonte**, **Reino** und **Burgueiros** ins Tal nach **Pontemaceira** (4½ Std.). Dieser schöne Ort mit seiner malerischen alten Brücke über den Río Tambre ist ein beliebtes Ausflugsziel. Auf der anderen Seite des Flusses gehen wir nach links und kommen in ein Eichenwäldchen. Etwas später laufen wir einige Zeit auf einem Trampelpfad parallel zur verkehrsreichen Landstraße LC 450, bis wir kurz hinter **Braca** links auf einem Teersträßchen über den Weiler Chancela nach **Negreira** abschneiden dürfen (5½ Std.). Das Stadtzentrum von Negreira liegt

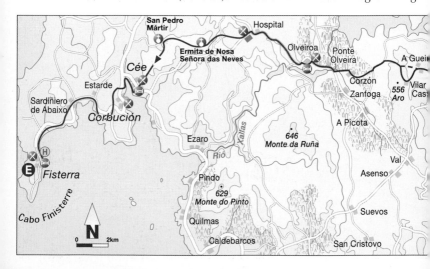

diesseits des Río Barcala, die Herberge allerdings jenseits des Flusses. Wir benötigen also noch ein Viertelstündchen hinüber in den Ortsteil Iglesia und zur Pilgerherberge. An der zentralen Kreuzung biegen wir links ab, passieren Stadttor und Emigrantendenkmal und folgen nach der Querung der Flussbrücke der Beschilderung links aufwärts. Die gepflegte Herberge liegt oben auf der Anhöhe und bietet eine herrliche Aussicht über das Tal.

Von Negreira nach Olveiroa

Nachdem wir den Einzugsbereich von Santiago endgültig hinter uns gelassen haben, durchstreifen wir nun das dünn besiedelte Agrarland zwischen Río Tambre und Río Xallas. Von der Herberge aus gehen wir ein paar Schritte zurück, passieren die Kirche und steigen in den Wald hinauf. Das Teersträßchen knickt nach rechts ab, aber wir halten uns links auf einem Waldweg, der uns nach einer knappen halben Stunde auf die Landstraße CP 5603 bringt. Im Weiler **Lugar de Zas** können wir sie beim Bushäuschen wieder nach rechts verlassen. Auf ruhigen Pisten und Pfaden wandern wir nun über **Aro** (Ortsteil Camiño Real) und **Rapote** nach **A Pena** (2 Std.). Dort kann man sich in der Bar oben an der Landstraße mit einem Imbiss versorgen, die Wirtin wirbt schon in der Herberge von Negreira mit ihren englischen Sprachkenntnissen. Aber auch wenn man dieser Versuchung widersteht, erreicht man

18 jetzt bald die Straße. Bei den letzten Häusern des Orts biegen wir dann rechts in den Wald hinein, kommen jedoch nach etwa 15 Min. wieder bei der CP 5603 an und bleiben dann fast bis **Vilaserio** auf ihr (3¼ Std.). Eine scharfe Kurve vor dem Ort kürzen wir mit Hilfe eines Abschneiders auf einen (nicht gut erkennbaren!) Waldpfad nach links ab. Wir überqueren die Dorfstraße, 20 m rechts von uns liegt die Bar (Mittagstisch). Nach ein paar Schritten sind wir abermals auf der Landstraße, die uns durch eine Senke leitet. Auf der anderen Seite verlassen wir sie dann nach rechts, um auf der Dorfstraße in den Weiler **O Cornado** hineinzugehen. Im Ort biegen wir beim Brunnen nach rechts aufwärts ab und werden nun in einem weiten Linksbogen um einen Hügel herumgeführt, um danach prompt wieder an der CP 5603 zu landen. Dort halten wir uns zunächst rechts, wählen dann aber die nächste Piste nach links. Durch recht flaches, großräumiges Land wandern wir nun gemächlich und ungestört nach **As Maroñas** – im Ort halten wir uns links – und **Santa Mariña** (5½ Std.). Hinter dem Dörfchen geht es wieder zur Landstraße, diesmal ist es die LC 403, an der wir nach links schwenken. Wir passieren gleich eine Bar und folgen der Straße weiter bis zu einer Linkskurve, vor der wir nach rechts auf ein kleineres Asphaltsträßchen wechseln. Nun steuern wir auf den Monte Aro zu und müssen etwas ansteigen. Auf der Höhe des Wegkreuzes »Cruceiro de Bo Xesús« hat

Horreo: traditioneller Getreidespeicher in Galicien

man die erste Steigung bewältigt, und das Dorf **A Gueima** ist nicht mehr weit. Unsere Route ist dort nach links ausgewiesen, hinauf nach **Vilar do Castro**, wo wir uns nach rechts wenden und schließlich am

Einkaufen in Negreira

Ab Negreira gibt es bis zum etwa 55 km entfernten Cée praktisch keine Einkaufsmöglichkeiten mehr, weswegen es ratsam ist, sich hier im Supermarkt noch mit dem Nötigsten einzudecken.

Berghang entlang immer auf gleicher Höhe weiterwandern. Unser Weg mündet bald in ein Teersträßchen, und wir biegen links aufwärts in Richtung eines kleinen Sattels ab, der einen schönen Ausblick auf den Stausee zu bieten hat (hier und bei den folgenden Abzweigungen die Markierungen auf dem Straßenbelag genau beachten!). Wenig später liegen die Häuser der Gemeinde **Lago** vor uns (6¾ Std.). Die Straße knickt nach links ab und schlängelt sich durch die Weiler bis nach **Corzón**. Von dort aus geht es hinunter zum Río Xallas, den wir bei **A Ponte Olveira** überschreiten (7¾ Std.), nachdem wir kurz zuvor rechts in die wesentlich belebtere Landstraße CP 3404 eingebogen sind. Auf dieser erreichen wir in einer knappen halben Stunde unser Ziel **Olveiroa**. Am Ortseingang zweigt links ein Sträßchen ab, das uns durch das Dorf zur gut ausgeschilderten Herberge führt (8¼ Std.). Eine Bar oben an der Dorfstraße offeriert Getränke und Bocadillos, aber keine warmen Mahlzeiten. Gegenüber in einem Privathaus befindet sich das öffentliche Telefon des Ortes, die einzige Einkaufsmöglichkeit ist eine Apotheke. In der Herberge wird abends von der Hospitalera Suppe und Brot gereicht, sodass niemand hungrig ins Bett muss. Ehrensache, dass man hier bei der Spende nicht zu knausrig ist.

Von Olveiroa nach Fisterra

Zunächst gehen wir zurück zu dem Sträßchen, auf dem wir Olveiroa betreten haben, um dort nach rechts Richtung Westen den Ort zu verlassen. Wir kehren zurück zur Landstraße, wenden uns aber schon nach 2 Minuten vor einer langen Rechtskurve nach links auf eine kleine Asphaltstraße und von dieser nach wenigen Minuten wiederum nach links auf einen Feldweg. Wir kommen nun hinab ins Tal des Río de Hospital. Die alte Steinbrücke ist seit Jahren eingestürzt, deswegen muss der Bach auf den Trümmern überquert werden, was bei guten Wetterbedingungen nicht sehr schwierig ist. Bei hohem Wasserstand hingegen ist die Querung

18

problematisch, in diesem Fall sollte man die Strecke von Olveiroa nach Hospital besser auf der Landstraße zurücklegen (die Hospitalera in der Herberge gibt am Vorabend Auskunft über die Wegbeschaffenheit). Genauso malerisch wie bisher führt der Weg durch Heidelandschaft jetzt hinauf nach **Hospital** (1 1/2 Std.). Den Ort selbst betreten wir nicht, denn wir erreichen die Straße hinter ihm und wenden uns auf ihr gleich links. Berühmt-berüchtigt hier an dieser Stelle ist die weithin sichtbare alte Fabrik, die man eigentlich nur als einen Schandfleck in der schönen Landschaft bezeichnen kann. Umso angenehmer ist dafür die Bar O Castelino an der rechten Straßenseite – die letzte Einkehr vor Cée – , und bis dorthin sind es immerhin noch 15 km! Bei einem großen Kreisverkehr gehen wir links und damit praktisch hinten an der Fabrik vorbei (der Wanderweg in den lokalen Wallfahrtsort Muxia ist hier nach Norden ausgeschildert, weitere Informationen dazu unten), und nehmen am Ende des Fabrikgeländes ein nach rechts abzweigendes, schönes Weglein. Durch karge Heidelandschaft mit Ginsterbüschen und Eukalyptusbäumen erreichen wir schließlich die 1997 wieder aufgebaute **Ermita de Nosa Señora das Neves** (2 3/4 Std.). Am 8. September findet alljährlich eine Wallfahrt zu ihrer heiligen Quelle statt. Eine zweite Wallfahrtsstätte passieren wir etwa eine halbe Stunde später: es ist **San Pedro Mártir**. Dort beim Festplatz gibt es einen 2004 neu angelegten Brunnen. Fast stets auf gleicher Höhe bleibend wandern wir weiter, bis sich plötzlich der erste Blick aufs Meer auftut. Bei guten Sichtverhältnissen erkennen wir wunderbar die Bucht Ría de Corbución und wenig später dann die Orte Cée und Corbución. Nun geht es auch schon recht zügig und steil hinab nach **Cée** (gut 4 1/2 Std.). Links am Ortseingang begrüßt uns wieder eine hässliche Fabrik, der wir aber schnell den Rücken zuwenden, denn wir halten uns unten an der Hauptstraße rechts stadteinwärts. Die Markierungen führen uns zum Hauptplatz Praza de Constitución, dort in die erste Straße links und zum Ufer. Nun bummeln wir nach rechts die Uferstraße entlang und umrunden die Bucht, bis wir in **Corbución** angelangt sind (5 Std.). Unsere Wegmarkierungen verlieren sich hier etwas und die Wegfindung ist nicht ganz einfach. Noch vor dem Hotel Horreo (Reklametafel) verlassen wir rechts die Küstenstraße, halten uns weiter rechts zur Capela de San Antonio und dort dann halbrechts zum westlichen Ortsrand.

18

Ein Pfad steigt steil den Hang hinauf, an einem Feldweg wenden wir uns nach links und erreichen so eine kleine Asphaltstraße, die uns schließlich auf einen Sattel führt. Dort kreuzen wir die gut frequentierte Ausfallstraße C 550 (auf ihr kommt man hier herauf, wenn man der Uferstraße weiter folgt) und halten uns gegenüber auf einer Teerstraße, bis nach rechts ein Pfad abzweigt. Parallel zur C 550 wandern wir durch den Wald, kommen aber am Ortseingang von **Amarela** wieder auf sie zurück. Bei einer Ferienanlage kurz hinter Amarela schneiden wir nach rechts eine Kurve der Landstraße ab, marschieren dann aber weiter auf ihr über **Estarde** nach **Sardiñiero** (6³⁄4 Std.). Hier bleibt man am besten entgegen der Markierungen, die uns auf kurze Seitenstraßen lotsen wollen, auf der Hauptstraße, die man schließlich erst bei einem Supermarkt nahe dem Ortsende halbrechts in die Rúa de Fisterra hinein für längere Zeit verlässt. Wir erklimmen nun den Hang und orientieren uns nach den letzten Häusern links auf einem Trampelpfad. Dort können wir jetzt wieder in aller Ruhe bis zu einem Aussichtspunkt wandern, auf dem wir das erste Mal unser Ziel in voller Schönheit sehen werden – vorausgesetzt, der galicische Nebel hat sich für uns verzogen. Bei einem Straßenparkplatz fängt uns die C 550 wieder ein. Wohlmeinende Planer haben gleich hier einen Pfad nach links unten in eine wundervolle Bucht angelegt und den Wegverlauf entsprechend markiert. Man sollte sich den Abstieg jedoch

Reste der cingestürzten Brücke am Río de Hospital

18

genau überlegen, denn der Strand liegt 100 Hm unter uns, man schneidet damit nur eine Straßenkurve ab und muss dann doch wieder hinauf. Hier ist ausnahmsweise doch einmal der Verkehrslärm vorzuziehen. Außerdem geht schon bald nach links eine Straße ab (7½ Std.), die nach ein paar Schritten in einen Pflasterweg übergeht. Wir befinden uns jetzt auf der gepflegten Promenade entlang des Praia de Langosteira. Bis zum Ortseingang von Fisterra spazieren wir jetzt am Strand entlang und lassen uns von den Spaziergängern bestaunen. In **Fisterra** müssen wir dann wieder zur Straße zurück. Geradeaus gelangen wir zur Herberge, die am Beginn der alten Hauptstraße Calle Real gleich beim Hafen liegt (8¼ Std.).

Fisterra

Bereits für die Kelten war Fisterra ein Wallfahrtsort, und auch im Mittelalter kamen die Pilger nach vollzogener Reise ans Apostelgrab hierher, um ihre Kleider zu verbrennen und so den Aufbruch in eine neues Leben symbolisch zu besiegeln. Und immer mehr moderne Pilger folgen diesem Vorbild. Die Stadt ist mit ihren 5000 Einwohnern trotz der Touristen ein Fischerort geblieben.

Die Wahlfahrtskirche Nosa Señora das Neves

Morgens fahren die Boote aufs Meer, am Nachmittag wird dann der Fang auf dem Markt am Hafen verkauft, wo sich auch die örtlichen Fischlokale mit frischer Ware versorgen. Billig ist dieses kulinarische Vergnügen aber deswegen auch hier nicht. Das bedeutendste Bauwerk der Stadt ist die Kirche Santa María de las Arenas am südlichen Ortsausgang. Wir passieren sie auf dem Weg zum knapp 3 km entfernten Kap. Dort, auf dem 140 m hohen Felsen, sind wir am Ende der alten Welt angekommen. Die im Meer versinkende Sonne war den Kelten religiöses Symbol für Tod und Wiedergeburt, weshalb sie an dieser Stelle Brandopfer darbrachten. Das Ritual der verbrannten Kleider und die damit verbundenen Vorstellungen von einem Neubeginn nach vollendeter Pilgerfahrt dürften ihre Wurzeln in

18

Der Abend am Kap Finisterre

Direkt am Kap Finisterre liegt im Gebäude des alten Observatoriums das Hotel-Restaurant O Semáforo. Es ist nicht ganz billig, aber die fantastische Lage macht es zu einem Quartier mit besonderem Reiz. Um am Abend noch ein Gläschen zu trinken, sei die Bar La Galería in der Rúa Real 25 nur wenige Schritte von der Herberge empfohlen. Gute Musik, der Blick auf den Hafen, ein Besitzer, der selber Pilger war, sowie ein wunderliches Sammelsurium von ausgestellten Objekten machen den Charme dieses Lokals aus.

dieser vorchristlichen Tradition haben. Abends am Kap auf das Meer hinauszuschauen und den Sonnenuntergang zu beobachten, ist auch heute noch der krönende Abschluss unserer letzten Wandertage.

Die Bushaltestelle für die Rückfahrt nach Santiago befindet sich direkt bei der Herberge. Mit etwas Glück erwischt man eine direkte Linie, andernfalls heißt es bis zu dreimal umsteigen. Fahrkarten erhält man beim Fahrer, der auch dafür sorgt, dass man im richtigen Bus landet. Wer jetzt noch immer nicht genug vom Wandern hat und nach Santiago zurücklaufen möchte, der kann der Abwechslung halber von Fisterra auch Richtung Norden nach Muxía aufbrechen (Wegstrecke 30 km, keine Herberge am Ziel). Ein markierter Wanderweg leitet von dort zurück nach Hospital, an den Kreisverkehr bei der Fabrik (weitere Informationen zu dieser Variante in der Pilgerherberge).

Am Ende der Reise: Blick zum Cap Finisterre

Register